O Efeito Isaías

Decodificando a Ciência Perdida
da Prece e da Profecia

O Efeito Isaías

Gregg Braden

Tradução de Afonso Teixeira Filho

Editora Cultrix   São Paulo

Título original: *The Isaiah Effect*.

Copyright © 2000 Gregg Braden.

Copyright da edição brasileira © 2002 Editora Pensamento-Cultrix Ltda.

1ª edição 2002.

13ª reimpressão 2022.

Publicado mediante acordo com a Harmony Books, uma divisão da Random House, Inc.

Todos os direitos reservados. Nenhuma parte deste livro pode ser reproduzida ou usada de qualquer forma ou por qualquer meio, eletrônico ou mecânico, inclusive fotocópias, gravações ou sistema de armazenamento em banco de dados, sem permissão por escrito, exceto nos casos de trechos curtos citados em resenhas críticas ou artigos de revistas.

A Editora Cultrix não se responsabiliza por eventuais mudanças ocorridas nos endereços convencionais ou eletrônicos citados neste livro.

Ilustração da página 7 de Melissa Ewing Sherman.

Direitos de tradução para o Brasil adquiridos com exclusividade pela
EDITORA PENSAMENTO-CULTRIX LTDA., que se reserva a
propriedade literária desta tradução.
Rua Dr. Mário Vicente, 368 – 04270-000 – São Paulo, SP – Fone: (11) 2066-9000
http://www.editoracultrix.com.br
E-mail: atendimento@editoracultrix.com.br
Foi feito o depósito legal.

O Efeito Isaías

A ciência quântica supõe a existência de muitos futuros possíveis para cada momento da nossa vida. Cada um desses futuros encontra-se em estado de repouso até que seja desencadeado pelas decisões tomadas no presente.

Um manuscrito de 2 mil anos, da autoria do profeta Isaías, descreve precisamente essas possibilidades numa linguagem que apenas agora começamos a entender. Além de nos revelar as visões que teve desta nossa época, Isaías descreve a ciência que nos ensina como escolher o nosso futuro.

Cada vez que lançamos mão dessa ciência, constatamos na nossa vida o Efeito Isaías.

*Antigas tradições fazem-nos
lembrar que viemos a este mundo
por uma razão especial.*

*Estamos aqui para amar e
encontrar um amor até maior
do que o dos anjos do céu.*

*Este livro é dedicado à busca
desse amor e à lembrança do poder que temos
de trazer o paraíso para a terra.*

Sumário

Preâmbulo 13
Introdução 17

1. A VIDA NA ÉPOCA PROFETIZADA
   A História aponta para os dias de hoje 25

2. PALAVRAS PERDIDAS DE UM POVO ESQUECIDO
   Para além da ciência, da religião e dos milagres 45

3. AS PROFECIAS
   Visões silenciosas de um futuro esquecido 63

4. ONDAS, RIOS E ESTRADAS
   A física do tempo e a profecia 87

5. O EFEITO ISAÍAS
   O mistério da montanha 109

6. O ENCONTRO COM O ABADE
   Os essênios no Tibete 117

7. O IDIOMA DE DEUS
   A ciência perdida da oração e da profecia 133

8. A CIÊNCIA DO HOMEM
   Segredos da oração e da cura 157

9. A CURA DOS CORAÇÕES, A CURA DAS NAÇÕES
   Como reescrever o nosso futuro na época profetizada............ 187

Últimas palavras 209
Notas 211
Agradecimentos 219

Preâmbulo

Prestei bastante atenção ao que dizia a voz no rádio, para ter certeza de que ouvira bem. Os botões luminosos que havia no painel da furgoneta nova, alugada havia apenas alguns dias, não me eram familiares e eu ainda não me acostumara a eles. Aumentei o volume para abafar o ruído do vento fustigante, prenúncio da tormenta de inverno que se tornou visível ao pôr-do-sol. Até onde a minha vista podia alcançar, na Interestadual, havia apenas sinais de luzes distantes refletidas pelas nuvens baixas. Quando estendi o braço para ajustar o espelho retrovisor, meus olhos acompanharam o asfalto que acabáramos de percorrer até que desaparecesse na escuridão que nos rodeava. Nem mesmo víamos as luzes dos faróis dianteiros que anunciariam a aproximação dos carros que estavam atrás. Estávamos sozinhos, absolutamente sozinhos, numa estrada de um condado ao norte do Colorado. Enquanto isso, eu imaginava quantas outras pessoas, no carro ou em casa, estavam ouvindo pelo rádio o mesmo que eu.

O locutor entrevistava um convidado, pedindo-lhe que revelasse o seu ponto de vista sobre o terceiro milênio e o despontar do século XXI. Pediu ao convidado, um respeitado escritor e educador, que contasse o que, a seu ver, estava reservado para a humanidade nos dois ou três anos seguintes. O rádio estalou um pouco enquanto o homem descrevia um futuro imediatamente perturbador. Confiante, e um tanto autoritário, ele expunha seu ponto de vista acerca de um colapso inevitável, de final de século, nas tecnologias globais, especialmente nas relacionadas com computadores. O enredo terrível que o convidado descrevia mostrava um futuro em que os recursos essenciais à vida, que, como sabemos, vêm se tornando escassos, acabariam por se esgotar em alguns anos ou meses. Ele mencionou também a limitação da energia elétrica, da água, do gás natural e da comida e a perda dos meios de comunicação como os primeiros sinais de um colapso nos governos locais e nacionais. O convidado prosseguiu, especulando sobre um tempo no futuro em que a lei constitucional deveria ser suspensa e a lei marcial imposta para manter a ordem. Para completar essas terríveis situações, ele mencionou o perigo cada vez maior de doenças incontroláveis e a possibilidade de uma terceira guerra mundial, com armas de destruição em massa. E tudo isso levaria ao extermínio de aproximadamente dois terços da população mundial, *algo em torno de 4 bilhões de pessoas*, num intervalo de três anos.

Eu certamente já ouvira essas previsões ameaçadoras antes. Desde as visões dos profetas bíblicos até as profecias de Nostradamus e Edgar Cayce, nos séculos XVI e XX respectivamente, levantamento dos mares, surgimento de mares interiores e terremotos catastróficos têm sido temas constantes nas previsões para o fim do segundo milênio. Mas alguma coisa parecia diferente nessa noite. Talvez porque eu me sentisse muito só naquela estrada. Talvez porque eu soubesse que muitas outras pessoas também ouviam a mesma mensagem, transmitida para seus lares, escritórios e automóveis pela voz autoritária de um convidado invisível. Senti-me mergulhado numa gama ampla de experiências que iam desde um sentimento muito forte de desespero e lágrimas de profunda tristeza até ímpetos igualmente fortes de raiva e de fúria.

— Não! — ouvi-me falando em voz alta. — Não tem de ser da maneira como você está dizendo! Nosso futuro ainda não chegou. Ainda está se formando e ainda estamos definindo o que acontecerá.

Ao chegar no alto de uma colina, comecei a descer para um vale e o sinal receptor diminuiu. No resto da entrevista que ouvi o convidado avisava às pessoas para que "erguessem a cabeça" e se preparassem para a grande mudança. Para aqueles que viviam na miséria, à margem da sociedade, ou que ignoravam os eventos que se desenrolariam no nosso futuro, o convidado dava três palavras de advertência: "Deus os ajude!" As vozes no rádio chiavam e se desvaneciam devido à interferência na transmissão, mas o impacto de suas palavras permaneciam.

Eu conto essa história agora pois as perspectivas que se propagavam através das ondas sonoras daquela noite eram precisamente isto: *perspectivas* e não uma certeza acerca do futuro que nos esperava. Além de descrever cenas de tragédia e de desespero, os profetas antigos também previam futuros viáveis, cheios de paz, cooperação e grande prosperidade para as pessoas do mundo todo. Eles deixaram impressos, em manuscritos raros de mais de 2 mil anos de idade, os segredos de uma ciência esquecida que nos dá a possibilidade de transcender suas profecias e previsões catastróficas, além dos grandes desafios da vida, com graça. Num primeiro olhar, a ciência codificada dentro desses raros documentos pode parecer mais uma ficção, ou ao menos um roteiro de um filme futurista. Vistos pelos olhos dos físicos do século XX, todavia, os princípios contidos nesses textos antigos trazem uma nova luz, e novas possibilidades, para o nosso papel de determinar as conseqüências do momento histórico pelo qual passamos. Fragmentos esfarrapados desses textos descrevem uma ciência perdida com o poder de dar um fim definitivo a todas as guerras, doenças e sofrimentos; iniciar uma era sem precedentes, de paz e cooperação entre governos e nações; transformar padrões climáticos de natureza devastadora; possibilitar uma existência saudável para o nosso corpo; e redefinir antigas profecias de devastação e mortandade.

As últimas descobertas da física quântica apóiam precisamente esses princípios, devolvendo a credibilidade ao papel das preces em massa e às antigas profecias. Encontrei as primeiras alusões a essa sabedoria nas traduções de textos aramaicos escritos quinhentos anos antes da época de Cristo. Os mesmos textos revelam que registros de algumas tradições secretas foram levados da terra natal de seus autores, no Oriente Médio, para as montanhas da Ásia, durante o primeiro século da nossa era, para que se mantivessem a salvo. Na primavera de 1998, tive a oportunidade de organizar um grupo de 22 pessoas para uma peregrinação até as terras altas do centro do Tibete, com o objetivo de testemunhar e confirmar a existência das tradições a que esses textos de 2 mil anos de idade se referiam. Aliada a uma pesquisa de larga escala realizada nas cidades ocidentais, nossa jornada deu ainda mais credibilidade a esses antigos lembretes do nosso poder de pôr termo aos sofrimentos de um incontável número de pessoas, evitar uma terceira guerra mundial e alimentar todas as crianças, mulheres e homens de hoje, bem como aqueles das futuras gerações. Foi apenas depois de subir até os mosteiros, localizar as bibliotecas e testemunhar práticas antigas que chegaram até os tempos modernos, que tive confiança para revelar as sutilezas dessas tradições.

Como a ciência ainda não pôde descartar a relação entre os mundos interior e exterior, passa a ser mais fácil acreditar que uma ponte esquecida ligue o universo de nossas preces ao de nossas experiências. Talvez essa ligação represente o melhor que a ciência, a religião e os místicos possam oferecer, elevado a um patamar que parecia impossível até então. A beleza que há nessa tecnologia espiritual deve-se ao fato de estar ela baseada em qualidades humanas que já possuímos. No conforto de nossos lares, onde não predomina a expressão, vinda de fora, da ciência ou da filosofia, tudo o que temos de fazer é *lembrar*. Ao fazer isso, presenteamos nossa família, nossa comunidade e os que amamos com uma mensagem de vida e de esperança que transcende as linhas do tempo. Profetas, que nos viram em seus sonhos, lembram-nos de que, ao respeitar todas as formas de vida, estamos contribuindo para a sobrevivência de nossa própria espécie e para o futuro do único lar que conhecemos.

Gregg Braden
Norte do Novo México

Introdução

Poderia existir uma ciência perdida que nos possibilitasse transcender as profecias de guerra, de destruição e de sofrimento que há muito assombram a nossa época histórica? Seria possível que, em algum lugar perdido nas brumas de nossas lembranças mais remotas, tivesse acontecido algo que criasse uma lacuna no entendimento de como nos relacionamos com este mundo e com o próximo? Se for assim, esse conhecimento que nos falta poderia impedir as maiores tragédias com que a humanidade um dia já se defrontou? Textos escritos há 2.500 anos, bem como a ciência moderna, sugerem que a resposta a essas perguntas, e a perguntas semelhantes, é um retumbante "Sim!" Além do mais, aqueles que nos precederam, na linguagem de sua época, lembram-nos de que nos legaram duas tecnologias de extrema relevância para a nossa vida atual. A primeira é a ciência da profecia, que nos possibilita vislumbrar as conseqüências futuras das escolhas que fazemos hoje. A segunda é a sofisticada tecnologia da oração, que nos dá a chance de escolher a profecia que queremos ver realizada.

Parece que os segredos das ciências perdidas eram transmitidos abertamente por sociedades e tradições do passado. Os últimos vestígios dessa sabedoria que nos foi legada perderam-se da tradição ocidental, com o desaparecimento de textos raros, no século IV. Foi no ano 325 d.C. que os elementos-chave dessa herança tão antiga foram afastados da população em geral e relegados às tradições esotéricas ou escolas místicas, às elites sacerdotais e às ordens sagradas. Na visão da ciência moderna, as traduções recentes de tais textos, como a dos Manuscritos do mar Morto e a das bibliotecas gnósticas do Egito* projetaram uma nova luz e abriram portas a possibilidades insinuadas no folclore antigo e nos contos de fadas. Apenas hoje, quase 2 mil anos depois da criação desses textos, estamos aptos para

---

* Os textos de Nag Hammadi, descobertos em 1945. Entre eles encontra-se o *Evangelho de Tomé*. (N. do T.)

autenticar a magnitude de um poder que vive dentro de nós, um poder verdadeiro, capaz de pôr termo aos sofrimentos e trazer para o mundo uma paz inextinguível.

Autores antigos nos legaram mensagens de esperança, descritas com as palavras de sua época. As visões do profeta Isaías, por exemplo, foram registradas mais de quinhentos anos antes do advento de Cristo. Único manuscrito descoberto intacto entre os Manuscritos do mar Morto, em 1946, o manuscrito completo do livro de Isaías foi desenrolado e montado sobre um cilindro vertical que se encontra no santuário do Museu do Livro, em Jerusalém. Por se considerar os manuscritos insubstituíveis, o local onde são exibidos foi projetado para se retrair para o interior de um cofre coberto com portas de aço, para preservá-los para as gerações futuras, na eventualidade de um ataque nuclear. Devido à época em que foram escritos, à integridade do seu texto e à natureza do seu conteúdo, podemos considerar os manuscritos de Isaías um verdadeiro representante de muitas das profecias relativas ao nosso período histórico, o que é uma oportunidade rara. Além das especificidades de eventos precisos, uma visão genérica de antigas previsões revela tramas de um tema comum. Em cada vislumbre do nosso futuro, as profecias seguem um padrão claro: descrições de catástrofes, imediatamente seguidas de uma visão de vida, alegria e oportunidade.

No mais antigo manuscrito conhecido dessa natureza, Isaías começa descrevendo uma visão que teve de possíveis futuros, pormenorizando uma época de destruição global numa escala sem paralelos. Ele descreve esse momento agourento como um tempo em que "A Terra sofre total devastação e é pela rapina saqueada (...)".[1] Essa entrevisão de uma época que estava por vir refletem muitas outras profecias de várias tradições, inclusive as de indígenas do território norte-americano como os Hopis e os Navajos, e os Maias da região do México e da Guatemala.

Nos versículos que se seguem à narrativa de devastação, as visões de Isaías mudam drasticamente para um tema de paz e de prosperidade: "Mananciais de água jorrarão no deserto e torrentes cortarão a estepe. E a terra desértica se tornará em tanques, e a que ardia em sede, em fontes de água."[2] Além disso, Isaías afirma que "os surdos ouvirão as palavras de um livro, e dentre as trevas e a escuridade verão os olhos dos cegos".[3]

Por aproximadamente 25 séculos, os estudiosos têm interpretado essas visões como uma descrição de eventos que estão por acontecer, precisamente na ordem em que estão descritos nos manuscritos de Isaías: primeiro, o tormento da destruição; depois, um tempo de paz e harmonia. É possível que essas visões de uma outra época quisessem dizer outra coisa?

Poderiam as introvisões dos profetas refletir a habilidade dos especialistas de deslizar entre os mundos de possíveis futuros para registrar suas experiências para as futuras gerações? Se assim for, os pormenores de suas jornadas poderão proporcionar uma pista importante para os tempos que ainda virão.

Refletindo as crenças dos físicos do século XX, os profetas antigos enxergavam o tempo e o curso da nossa história como um caminho que poderia ser trilhado em dois sentidos: para a frente e para trás. Eles reconheciam que suas visões simplesmente retratavam possibilidades para um dado momento no tempo, em vez de eventos que ocorreriam com certeza, e cada possibilidade se baseava nas condições das épocas profetizadas. Se as condições mudassem, o resultado de cada profecia refletiria essa mudança. A visão profética de uma guerra, por exemplo, poderia ser entendida como um futuro provável apenas se as circunstâncias sociais, políticas e militares, da época a que a profecia se refere, não sofressem uma reviravolta.

A mesma linha de raciocínio nos faz pensar que, se mudarmos o curso de ação que tomamos no momento, mesmo que de uma maneira muito sutil, poderemos redirecionar todo o nosso futuro. Esse princípio se aplica tanto às circunstâncias individuais, como a saúde e os relacionamentos, quanto ao bem-estar geral de nosso mundo. Em caso de guerra, a ciência da profecia poderia permitir que um vidente projetasse sua visão no futuro e alertasse as pessoas de sua época para as conseqüências de seus atos. Muitas profecias, de fato, vêm acompanhadas de apelos enfáticos por mudanças, num esforço para evitar o que os profetas previram.

Revelações proféticas de possibilidades remotas freqüentemente nos evocam uma analogia com caminhos paralelos, vias de possibilidade que levam ao nosso futuro, assim como ao nosso passado. De vez em quando, o curso desses caminhos parece fazer uma curva, levando um para perto do outro. É nesse ponto que os profetas antigos acreditavam que o véu que separa os mundos se torna mais fino. Quanto mais fino for o véu, mais fácil será escolher novos cursos para o futuro, mudando-se de um caminho para o outro.

Os cientistas modernos consideram com cuidado essas possibilidades, inventando nomes para os eventos em si e para os lugares onde os mundos se ligam. Na linguagem das ondas temporais, dos efeitos quânticos e dos pontos de escolha, profecias como as de Isaías assumem significados novos e reveladores. Mais do que previsões de eventos que devem acontecer no futuro, essas profecias são percepções das conseqüências de escolhas feitas no presente. Tais descrições muitas vezes nos trazem à lembrança a imagem de um grande simulador cósmico, que nos permitiria testemunhar os efeitos de longo prazo de nossas ações.

Surpreendentemente semelhantes aos princípios quânticos segundo os quais o tempo é uma série de resultados diferentes e maleáveis, Isaías vai mais longe ainda lembrando-nos de que as possibilidades do nosso futuro são, na verdade, determinadas por escolhas coletivas feitas no presente. Ao tomarem juntos a mesma decisão, muitos indivíduos ampliam seu efeito e aceleram seu resultado. Alguns dos exemplos mais claros desse princípio quântico são encontrados nas orações por milagres feitas em massa; saltos repentinos que vão de um resultado futuro para a experiência de outro. No começo dos anos 80, os efeitos de preces coletivas foram comprovados por meio de experimentos controlados, feitos em áreas urbanas de grande incidência de crimes.[4,5] Por meio desses estudos, foi possível constatar o efeito localizado da prece e registrá-lo. Poder-se-ia aplicar o mesmo princípio a áreas mais amplas, como o planeta, por exemplo?

No dia 13 de novembro de 1998, terça-feira, uma oração em massa foi feita em escala mundial, como uma opção pela paz durante uma época de tensão política generalizada em muitas partes do globo. Nesse dia, inclusive, expirou o limite de tempo imposto ao Iraque para cumprir as exigências das Nações Unidas e submeter-se à inspeção de armas. Depois de meses seguidos de negociações malsucedidas para possibilitar seu acesso a áreas estratégicas desse país, as nações do Ocidente deixaram claro que, se o Iraque não cumprisse as exigências, o resultado seria uma maciça e extensa campanha de bombardeamento, planejada para destruir os supostos esconderijos desses armamentos. Uma campanha como essa certamente causaria uma grande perda de civis e militares.

Ligados por meio de uma comunidade global, a Internet, vários milhares de pessoas optaram pela paz por meio de uma prece coletiva cuidadosamente sincronizada com momentos precisos durante a noite. Durante o período de prece, ocorreu um evento que muitos consideram um milagre. Depois de trinta minutos de ataque aéreo, o Presidente dos Estados Unidos, ao receber uma carta dos oficiais iraquianos afirmando que eles iriam cooperar a partir de então com a inspeção de arma, deu uma ordem extraordinária às forças norte-americanas para que abortassem a missão.[6]

A probabilidade de um evento como esse acontecer por simples coincidência, na mesma ocasião da prece global, é pequena. Os céticos vêem a sincronicidade desse exemplo como uma "eventualidade". Contudo, em vista de tais resultados já terem sido observados anteriormente, em eventos ocorridos no Iraque, nos Estados Unidos e na Irlanda do Norte, um conjunto de provas cada vez mais extenso indica que o efeito da prece coletiva não foi apenas coincidência. De acordo com uma doutrina descoberta em textos escritos há séculos, as provas simplesmente constatam que a escolha de muitas pessoas, *concentrada de uma forma específica*, tem um efeito direto e mensurável na nossa qualidade de vida.

Embora essas mudanças nos pareçam inexplicáveis por meios comuns, os princípios quânticos admitem que elas possam ser o resultado da força interior coletiva ou da escolha do grupo. A ciência perdida da prece, que talvez tenha permanecido codificada em tradições antigas até que o pensamento contemporâneo a reconhecesse, oferece-nos hoje uma diretriz para evitar a doença, a destruição, a guerra e a morte previstas para o nosso futuro. A *escolha individual* que fazemos consolida-se na resposta coletiva que damos ao presente, com implicações que vão desde uma questão de dias a muitas gerações no futuro. Agora temos a língua para trazer essa incrível mensagem de esperança e de possibilidades para cada instante de nossa vida.

Embora a extensão completa das mais sombrias visões de Isaías já tenha passado, um número cada vez maior de cientistas, filósofos e pesquisadores acredita que estamos testemunhando hoje o prenúncio de muitos dos eventos que o profeta predisse para a nossa época. Poderiam chaves antigas como os Manuscritos de Isaías ter sobrevivido por mais de 2 mil anos com uma mensagem tão importante que não pudesse ser reconhecida até que a própria natureza do nosso mundo fosse desvendada? A disposição para levar em conta tal possibilidade pode representar o mapa de viagem que nos orientará, evitando que passemos pelo sofrimento previsto por toda uma classe de visões para o nosso futuro.

Vi um novo céu e uma nova terra...
Então, ouvi uma voz (...) dizer: (...) e a
morte já não existirá, já não haverá (...) pranto,
nem dor, porque as coisas
que os precederam já passaram.

– O LIVRO ESSÊNIO DAS REVELAÇÕES

A VIDA NA ÉPOCA PROFETIZADA

A História aponta para os dias de hoje

Por alguma razão, o homem atraiu o meu olhar assim que passei pelo corredor, deixando os sanitários e os telefones para trás. Podia ser por causa de seus trabalhos artísticos exposto na parede. Talvez fossem suas bijuterias, que pendiam modestamente da caixa feita à mão e forrada com feltro. Era mais provável, no entanto, que a causa fossem as três crianças que o rodeavam. Como eu não tenho filhos, no decorrer dos anos convenci-me de que era melhor apreciar os filhos dos outros. O mais velho deles tinha 8 anos. Observando o mais novo, haveria talvez dois anos de diferença entre um e outro. *Que crianças lindas!*, pensei, ao passar por elas no saguão do restaurante.

Eu tinha acabado de jantar com uns amigos, perto de uma cidadezinha à beira-mar ao norte de São Francisco. Porque tinha de preparar um seminário, coisa que me deixaria ocupado pelos próximos três dias, percebi que estivera um pouco distante no jantar. Do posto avançado na ponta da mesa, onde me encontrava, as conversas pareciam acontecer alheias a mim. Sentia-me como um observador à medida que os demais se punham a falar sobre suas carreiras, romances e planos para o futuro. Lembro-me de ter divagado sobre o lugar que havia escolhido. Talvez eu o tivesse feito intencionalmente para evitar a participação direta na conversa e continuar saboreando a presença de velhas amizades. Mais de uma vez, surpreendi-me olhando pela vidraça que ficava entre mim e a maré que subia por baixo do cais. Minha mente estava concentrada na apresentação que faria na noite seguinte. Com que palavras eu deveria começar a exposição? Como faria para despertar o interesse de uma platéia, composta de pessoas de várias formações e crenças, para uma antiga mensagem de paz e de amor à vida concernente ao nosso período histórico?

— Olá, como vão as coisas? — disse o homem que estava com os filhos e as bijuterias quando eu passava por ele.

O cumprimento inesperado de um estranho trouxe-me de volta ao presente. Sorri e acenei com a cabeça:

— Bem! — respondi sem pensar. — Parece que você tem bons ajudantes — disse eu apontando para as três crianças.

O homem riu. Pouco depois, estávamos conversando sobre suas bijuterias, os trabalhos artísticos de sua mulher e sobre seus quatro filhos.

— Fui eu quem fez o parto dos meus filhos — ele disse. — Os primeiros olhos que eles viram quando vieram ao mundo foram os meus. Minhas mãos foram as primeiras a tocar os corpos deles.

Os olhos dele brilhavam à medida que contava sobre o crescimento da família. Numa questão de instantes, esse homem, alguém que eu nunca havia visto antes, descreveu-me o milagre do nascimento pelo qual ele e a mulher haviam passado por quatro vezes. Logo fiquei comovido pela sua confiança e pela sinceridade de sua voz, enquanto ia revelando pormenores de cada um dos nascimentos.

— É fácil pôr um filho no mundo — ele disse.

Fácil para você, pensei. *O que sua mulher diria se pedissem a opinião dela?* Tão logo esses pensamentos me ocorreram, uma mulher apareceu, vinda do fundo do corredor. Soube na mesma hora que eles estavam juntos. Formavam aquele tipo de casal em que um parece feito para o outro. Ela veio até nós e sorriu calorosamente enquanto passava o braço em torno do marido. Eu teria passado ao largo de sua mostra no saguão se não tivesse parado para conversar com ele. Sabendo de antemão as respostas às perguntas que eu estava prestes a fazer, eu disse logo:

— É você a mãe dessas lindas crianças?

O brilho de orgulho no olhar dela serviu de resposta, antes mesmo de suas palavras.

— Sim, sou eu. Sou a mãe de *todos os cinco*.

Com a satisfação de quem tivera o privilégio de viver ao lado de outra pessoa durante anos, ela sorriu e bateu com a ponta dos dedos no braço do marido. Logo percebi: o quinto filho era o marido. Ela segurava nos braços o mais jovem dos quatro, um menino que aparentava 2 anos. Quando ele se debateu, a mãe colocou-o no chão de ladrilhos na entrada do restaurante. Ele foi em direção ao pai, que pegou-o no colo com um único movimento e embalou-o na curva de um dos braços. O garotinho sentou-se ereto para poder olhar diretamente nos olhos do pai e ficou nessa posição pelo resto da conversa. Era, obviamente, uma coisa que eles já haviam feito várias vezes.

— Então, é fácil ter um filho? — perguntei, ao lembrar-me em que ponto nossa conversa estava antes de ser interrompida pela chegada da mulher.

— Geralmente é — ele respondeu. — Quando eles estão prontos, não há mais nada para impedi-los. Eles simplesmente vêm!

Com o filho mais novo ainda no colo, ele se inclinou um pouco para imitar o gesto de um atleta agarrando uma bola, ou um bebê, nos braços.

Todos rimos e ele e a esposa se entreolharam. Então, um ar de tranqüilidade pairou sobre o casal e também sobre as crianças. Às vezes alguém cruza nosso caminho no momento certo, usando as palavras certas para sacudir-nos a lembrança e despertar possibilidades adormecidas dentro de cada um de nós. Acredito que, em níveis não-verbais, trabalhamos juntos nesse sentido. Na inocência do inesperado, um momento divino se desdobra. Eu sabia que aquele era um desses momentos. O homem olhou diretamente para mim. A expressão em seu rosto e o sentimento em meu coração me disseram que não importa o que viesse a acontecer, essa era a razão de estarmos juntos nesse momento.

— Normalmente não há problema — o homem continuou. — De vez em quando, porém, alguma coisa acontece. Algo vai mal.

Olhando para o pequeno em seus braços, o homem puxou o menino para mais perto de si e levantou a mão para acariciar a fronte do pequeno. Por um instante, os dois se olharam nos olhos. Fiquei comovido com a capacidade que tinham de demonstrar afeição um pelo outro, sem que eu me sentisse um estranho diante disso. Eles me deixavam fazer parte desse momento.

— Aconteceu com este aqui — continuou. — Tivemos alguns problemas com Josh.

Eu ouvia com atenção e ele prosseguia.

— Tudo estava indo bem, da maneira que devia ser. A bolsa de minha esposa se rompeu e o trabalho de parto progrediu até o ponto de ter início o nosso quarto parto feito em casa. Josh estava nascendo quando, de repente, tudo parou. Ele simplesmente parou de sair. Por alguma razão, lembrei-me de um manual de operações da polícia que eu havia lido vários anos antes. Havia um capítulo sobre emergências de parto, com uma seção dedicada a eventuais complicações. Minha mente correu até aquela seção. Não é engraçado como as coisas certas parecem surgir em nossa mente no momento certo? — Ele sorriu um pouco tenso no momento em que a esposa aproximou-se. Quando ela colocou um braço em volta dele e da criança, eu percebi que tinham vivido uma experiência conjunta que mantinha os três unidos por um laço raro de intimidade e enleio.

— O manual dizia que, algumas vezes, durante o parto, o bebê podia ficar preso na altura do cóccix da mãe. Algumas vezes é a cabeça, outras o ombro, que fica entalado. É um procedimento relativamente simples colocar a mão lá dentro e soltar a criança. Era exatamente isso que eu acreditava que estivesse acontecendo com o Josh. Introduzi a mão e aconteceu a coisa mais espantosa. Encontrei o cóccix dela, movi a mão um pouco para cima e senti claramente a clavícula do Josh alojada na reentrância do osso. Quando eu estava quase a ponto de tocá-lo, percebi um movimento. Levou um instante para entender o que estava se passando. Era a mão do Josh. Ele estava tentando empurrar o cóccix da mãe *para se soltar*. Conforme seu braço tocou minha mão, tive uma experiência que, acredito, muito poucos pais tiveram.

Nessa altura, todos já estávamos com lágrimas nos olhos.

— A história ainda não acabou, disse a mulher com suavidade. — Continue, conte o resto — sussurrou, encorajando o marido.

— Eu chego lá — disse com um sorriso no rosto, enquanto esfregava os olhos. — Assim que o braço dele tocou minha mão, ele parou de se mover por um instante. Creio que procurava compreender o que havia encontrado. Então, voltei a senti-lo. Dessa vez, ele não estava tentando se livrar do cóccix da mãe. Dessa vez estava tentando tocar minha mão! Senti sua mãozinha se mexendo entre meus dedos. Seu toque era inseguro no começo, como se estivesse explorando. Em apenas uma questão de segundos, ele me agarrou com força. Senti meu filho, que ainda não havia nascido, envolver meus dedos com os seus, confiantemente, como se já me conhecesse! Nesse momento, eu já sabia que estava tudo bem com ele. Juntos, os três trabalhamos para trazer Josh ao mundo, e aqui está ele hoje.

Todos olhamos para o pequeno nos braços do pai. Todos os olhares pousaram nele e Josh aconchegou o rosto no ombro do pai.

— Ele ainda é um pouco tímido — disse o homem sorrindo.

— Posso ver por que ele é tão apegado a você — disse eu. — Vocês dois viveram uma bela experiência juntos.

Olhamos um para o outro, entre as lágrimas que brotavam em nossos olhos. Lembro-me de ter ficado espantado e maravilhado ao mesmo tempo e, talvez, um pouco surpreso com a intensidade daquilo por que havíamos acabado de passar juntos. Rimos todos, desfazendo um certo clima de constrangimento, sem que isso diminuísse a intensidade do que acabáramos de passar. Trocamos mais algumas palavras, abraçamo-nos calorosamente e nos despedimos.

Nunca mais voltei a vê-los. Hoje, quase três anos depois, nem mesmo sei os nomes deles. O que me restou na memória foi sua história e a franqueza e disposição com que dividiram comigo um momento íntimo de suas vidas. A honestidade deles tocou em algo muito antigo e profundo dentro de mim. Embora tivéssemos nos conhecido havia menos de vinte minutos, nós três criamos uma lembrança prodigiosa que eu mencionaria muitas vezes nos meses seguintes. Foi um daqueles momentos que dispensa explicações. Nem mesmo tentamos explicar.

A mudança das eras

Uma frase famosa dos ensinamentos de Hermes Trismegisto, considerado o pai da alquimia, afirma que as experiências do nosso cotidiano, como o nascimento de uma nova vida, por exemplo, são reflexos de eventos ocorridos numa escala muito mais ampla no cosmo. Com uma simplicidade eloqüente, essa doutrina atesta simplesmente: "Assim como é em cima assim é embaixo."* A teoria do caos, um estudo especializado da Matemática, leva a explicação além, afirmando que nossas experiências são também holográficas. Num mundo holográfico, a experiência de um elemento é refletida por todos os outros elementos dentro do resto do sistema. Como o cosmo atua holograficamente, essa doutrina pode também ser aplicada a uma experiência muito mais próxima de nós: a relação entre nosso corpo e o mundo. Conforme a família que conheci contava-me o nascimento de seu filho mais novo, não pude deixar de me lembrar da doutrina de Hermes. De repente, a história de Josh abrindo caminho para este mundo tornou-se uma forte analogia de nosso planeta dando à luz um novo mundo. As semelhanças são claras.

Se, só por um instante, pudéssemos nos imaginar chegando à Terra, vindos de um mundo onde o milagre do nascimento fosse uma experiência

---

* Texto da *Tábua esmeraldina*, em latim, atribuída a Hermes Trismegisto: *Quod est inferius est sicut quod est superius, et quod es superius est sicut quod est inferius*. (N. do T.)

incomum, a história de Josh nos proporcionaria uma nova perspectiva dos eventos de nossa época. Testemunhar uma vida chegando a este mundo é uma experiência maravilhosa, seja qual for a explicação que dermos a esse acontecimento. Porém, como conhecemos de antemão o resultado do trabalho de parto, de alguma forma nossos sentimentos devem ser diferentes em relação à experiência. A nossa perspectiva poderia ser diferente se não soubéssemos o que aconteceria em seguida? E se víssemos o trabalho de parto sem o privilégio de entender que uma nova vida estava vindo para fazer parte do nosso meio?

Começaríamos por ver uma mulher que evidentemente estaria sentindo dor. Suas feições se contraem em sincronia com os gemidos provocados pelo trabalho de parto. Sangue e fluidos saem de seu corpo. Para todos os efeitos, como testemunhas do trabalho de parto, veríamos precisamente os mesmos sintomas que em geral acompanham a perda de uma vida em nosso mundo. Como poderíamos saber que, desses sintomas de dor, emergirá um nascimento? Será possível que faríamos as mesmas suposições, quanto ao surgimento de um novo mundo, como alguém que não estivesse familiarizado com o trabalho de parto faria ao assistir a um nascimento humano? É precisamente esse cenário que as tradições antigas indicam que esteja se formando; somos testemunhas do nascimento cíclico de um novo mundo. Nas visões proféticas do Evangelho de Mateus, o autor na verdade usa o nascimento como uma metáfora para descrever os eventos que as pessoas de nossa época podem esperar ver: "Haverá fome e terremotos em diversos lugares. E todas estas coisas são princípios das dores de parto."

No decorrer do último quartel do século XX, os cientistas de fato documentaram fatos sem precedentes, em relação aos quais parece não haver termos de comparação. Das regiões mais remotas do centro da Terra, às próprias fronteiras do universo conhecido, instrumentos registram fenômenos que excedem em intensidade e duração as medidas tomadas anteriormente, e algumas vezes de forma descomunal. No outono de 1997, rumores de catástrofes mundiais e de mudanças sociais começaram a circular pelas revistas da Internet, e por outros meios de comunicação, relativos a esses tópicos. Os artigos descreviam uma série de eventos — gigantescos terremotos, o aumento do nível dos oceanos, uma colisão iminente de asteróides com a Terra, vírus novos e devastadores e o fim de um frágil período de paz no Oriente Médio —, cada um desses acontecimentos com potencial para provocar massacres e destruição. Muitos desses artigos descrevem fenômenos que confirmam profecias feitas há milhares de anos, relativas aos tempos de hoje. Tanto as profecias antigas quanto as modernas indicam que os eventos ocorridos em 1997 marcaram o começo de um período extraordinário, do qual podemos esperar algumas mudanças dramáticas.

A linguagem da mudança

Estávamos na segunda semana do mês de julho de 1998. Minha mulher e eu acabávamos de voltar de uma longa viagem de três semanas no Tibete e cinco semanas no Peru. Costumamos empreender juntos jornadas sagradas para alguns dos locais mais primevos e isolados dos que ainda restam hoje em dia. O propósito de cada uma dessas jornadas é o de documentar exemplos claros e relevantes de uma sabedoria antiga que desapareceu no Ocidente há 1.700 anos. Ao viajar para esses lugares remotos onde os costumes vêm sendo preservados por centenas de gerações, temos a oportunidade de falar com aqueles que ainda praticam essa sabedoria. Em vez de especular sobre a validade de textos desbotados pelo tempo, ou de traduzir línguas esquecidas de muralhas de templos, falamos diretamente com os monges, xamãs e freiras dessas regiões. Por meio de guias, de intérpretes e dos nossos próprios conhecimentos da língua, fazemos perguntas específicas a respeito de práticas que tivemos o privilégio de testemunhar.

Apesar de ouvirmos sempre que possível o noticiário das grandes cidades, minha esposa Melissa e eu estivemos bastante longe do contato com o "mundo exterior" na maior parte do tempo que passamos fora. Entrei no escritório exatamente quando o fax emitiu o sinal de que chegava uma mensagem. Já havia no chão uma grande quantidade de papel emaranhado, que caíra do aparelho. Imaginei que mensagem podia ser tão urgente para nos cumprimentar no nosso primeiro dia de regresso.

Deixei as primeiras páginas caírem do aparelho, apanhei-as e comecei a alisar o papel. Havia páginas e páginas de informações colhidas numa série de instituições científicas como a NASA e a United States Geological Survey, nas principais universidades e na imprensa. Cada página vinha coberta por tabelas, gráficos e estatísticas que reportavam eventos incomuns que haviam ocorrido nos últimos meses. Aparentemente, os pesquisadores estavam me mantendo informado sobre esses eventos e aconteceu de eu entrar no escritório no preciso momento em que chegava uma nova informação.

As primeiras páginas descreviam em minúcias um evento cósmico de proporções sem precedentes. No dia 14 de dezembro de 1997, os astrônomos detectaram uma explosão nas fronteiras do universo conhecido cuja magnitude era superada apenas pelo *Big-Bang* primordial. Conforme relataram as revistas científicas aproximadamente sete meses antes, os pesquisadores do California Institute of Technology haviam documentado uma explosão que havia durado de um a dois segundos, com uma luminosidade igual a de todo o restante do universo. Desde essa primeira explosão, várias outras de magnitude semelhante vêm sendo detectadas.

Encontrei, em seguida, relatórios de junho de 1998, quando os cientistas testemunharam dois cometas se chocando contra o Sol, um evento nunca visto ou documentado antes. Os impactos foram seguidos durante horas por uma "tremenda descarga de gás quente e energia magnética conhecida como expulsão de massa da coroa (EMC)".[3] Explosões dessa natureza são estopins de distúrbios maiores no campo magnético da Terra, provocando quedas nas comunicações e de energia em grandes áreas. Ainda está fresca na mente de muitos cientistas a lembrança de distúrbios semelhantes que ocorreram em março de 1989, causados por explosões 50% maiores do que todas as anteriores.

Os documentos que olhei a seguir mostravam em pormenores estudos realizados em abril de 1998, documentando o que muitos suspeitavam estar relacionado com o tempo e com as temperaturas extremas dos últimos anos. Pela primeira vez, uma equipe internacional confirmou que as temperaturas do hemisfério norte subiram muito mais na última década que durante qualquer outro período nos últimos seiscentos anos.[6] Além disso, estudos revelaram que um erro nos dados do satélite confundia a leitura de previsão do tempo no passado mascarando os indícios do aumento da temperatura do ar.[7] Pressupondo um aumento de temperatura como esse no hemisfério sul, cientistas da National Snow and Ice Data Center ficaram assombrados com a rapidez com que um bloco de gelo Larsen-B, de 200km^2, desapareceu das fotografias dos satélites após ter-se desprendido da Antártica. Depois de aparecer intacto no dia 15 de fevereiro, demorou onze dias para desaparecer, submergindo no mar. O relatório anunciou com preocupação que todo o bloco Larsen-B, que cobria mais de 10.000km^2, poderia "desintegrar-se num período de um a dois anos".[8] Outros Estudos foram feitos para explicar o significado de tais eventos, calculando que "o colapso do gelo antártico poderia elevar o nível dos oceanos em 6 metros".[9]

Um padrão climático irregular que começou em 1997 e é conhecido como *El Niño*, vem causando danos às colheitas, às indústrias e à vida de centenas de milhares de pessoas, em escala global. Os relatórios registram que mais de 16 mil pessoas morreram no mundo todo e que os danos estimados estão por volta de 50 bilhões de dólares. Os modelos convencionais de previsão do tempo não conseguiram prever esse padrão climático, que era o resultado do desarranjo e da inversão de correntes oceânicas, antes de ele se manifestar.

Outros relatórios mostravam, por exemplo, que a descoberta feita em 1991 de novos sinais misteriosos, emitidos do centro da galáxia,[10] confirmavam que o pólo magnético norte desviou-se mais de cinco graus desde 1949-50.[11, 12] Os artigos vinham acompanhados de comentários acerca de pesquisas pioneiras sobre a aceleração e o aumento da intensidade do fenômeno. Eventos ocorridos no passado, que muitos viam como fenômenos isolados e anômalos, como as explosões solares no final dos anos 80, estavam agora sendo vistos como pedras que pavimentavam o caminho para essas recentes mostras de extremos ainda maiores. Tudo ocorreu dentro de um período de nove anos! Embora não me surpreendessem, a freqüência e o período desses eventos me assustavam. Muitos pesquisadores suspeitam que mudanças físicas extraordinárias podem representar o começo de um ciclo catastrófico de mudanças, ciclo este previsto por muitas tradições e profecias.

À primeira vista, sem um quadro de referência para dar sustentação a tais relatórios, eles nos parecem, na melhor das hipóteses, assustadores. A variedade de eventos ocorridos num intervalo de tempo tão curto parece mais do que um mero acaso ou coincidência. Qualquer um desses eventos merece por si só a atenção dos principais cientistas ou governos. O fato de que muitos deles ocorreram num período de poucas semanas indica que um outro cenário, que não é aventado pelos nossos modelos de sociedade e natureza, pode estar se descortinando.

Muitos estudiosos, leigos e profetas da atualidade acreditam que esses exemplos contundentes de extremos sociais e naturais sejam na verdade precursores de acontecimentos que confirmariam profecias de priscas datas a respeito de guerras e destruição. *As mesmas profecias contempladas em sua totalidade proporcionam, todavia, uma mensagem um tanto diferente.* Longe de assustar, antigas previsões, vistas pelo prisma de novas pesquisas, proporcionam uma perspectiva promissora de esperança e possibilidade.

A História aponta para os dias de hoje

Fiquei na espera alguns instantes até ouvir a voz do técnico da rádio ao telefone.

— Você começa o programa em três minutos; a chamada será às oito e meia.

O rádio sempre foi um bom meio de comunicação para mim. Ainda havia uma onda familiar de emoção que se propagava pelo meu corpo quando ouvia a voz do homem. Eu sabia que pelas próximas três horas, cada palavra que eu dissesse seria ouvida em estações coligadas em todo o país. Por meses, ou anos talvez, eu poderia ser citado pelas afirmações que viesse a fazer nessa noite. Ao mesmo tempo, eu sabia que a mensagem de possibilidade transmitida pela entrevista ofereceria uma perspectiva de esperança para aqueles que estivessem ouvindo. Respirei fundo para me concentrar e me preparar. O programa era ao vivo e sem ensaios. Meu primeiro pensamento foi. "Qual será a primeira pergunta que me farão?"

Como se tivesse ouvido o meu pensamento, o técnico logo voltou à linha:

— Gostaríamos de começar falando de seu otimismo. Diante de tantas previsões de calamidades para o fim do milênio, como você pode estar tão otimista em relação ao futuro do planeta?

— Bem — respondi —, vejo que começamos pela pergunta mais fácil.

Rimos, o que aliviou os últimos minutos de tensão que antecediam a transmissão. Momentos depois, a voz do nosso apresentador deu início à entrevista ao vivo. Logo começaram a surgir perguntas, feitas pelos ouvintes pelo telefone, sobre os desafios que poderiam ser esperados na passagem do segundo milênio para o século XXI. Embora as palavras variassem, havia um tema comum sublinhando cada uma das perguntas: a preocupação com mudanças que seriam catastróficas para todos no mundo. A voz de algumas pessoas que ligavam chegava a tremer quando mencionavam a visão de outras pessoas e de outras culturas relativas ao fim do século. Um velho nativo americano, de uma tribo que não foi revelada, descreveu mudanças que viriam a ocorrer no planeta e que, segundo seus ancestrais, seriam marcadas pelo último dos três "grandes abalos" sobre a terra. Esses abalos eram terremotos, alteração dos padrões climáticos e o colapso de certas formas de governo. Do ponto de vista de seu povo, as mudanças profetizadas já haviam começado.

Eu ouvia atentamente. Cada ouvinte ao telefone era preciso quanto às previsões, relatando profecias em pormenores, exatamente da maneira que eu as ouvira também. Por outro lado, as histórias eram incompletas. Nas visões daqueles que tinham vindo antes de nós, uma devastação de proporções catastróficas era apenas uma das possibilidades que vislumbravam para o nosso futuro. Muitas profecias também apontam resultados alternativos a essas possibilidades catastróficas: futuros de alegria e esperança que, contudo, pareciam visões que foram se tornando nebulosas, ou se perderam completamente, à medida que as profecias iam passando de geração para geração.

O programa continuou madrugada adentro. O mediador e eu montamos cuidadosamente um quadro no qual os extremos de fenômenos naturais e sociais começavam a fazer sentido. Descrevi uma série de revelações que estavam perdidas e foram encontradas recentemente em textos pré-cristãos. Apoiado em novas pesquisas que respaldavam essas tradições, a fonte de meu otimismo logo foi se revelando. Apesar de os nossos desafios parecerem maiores a cada dia que passa, minha fé na nossa capacidade coletiva de superar os acontecimentos que nos desafiam torna-se cada vez mais forte.

O portal para os mundos interiores

Para muitos pesquisadores, os extremos, recentemente documentados em nosso sistema solar e as mudanças nos padrões climáticos, geofísicos e sociais não têm base de referência no pensamento ocidental. A formação desses pesquisadores faz com que enxerguem os eventos anômalos testemunhados pela ciência como fenômenos isolados, sem nenhuma relação entre si — mistérios sem contexto. Tradições antigas e indígenas como as dos nativos da América do Sul e do Norte, dos tibetanos e das comunidades de Qumran, do mar Morto, contudo, mostram-nos como entender esse aparente caos em nosso mundo. Os ensinamentos dessas tradições fazem com que tenhamos um ponto de vista unificado a respeito da criação, lembrando-nos de que o nosso corpo é feito do mesmo material que o nosso planeta — nada mais, nada menos.

Talvez os antigos essênios, os misteriosos autores dos Manuscritos do mar Morto, sejam os que nos vão explicar, da maneira mais clara, as ciências do tempo e da profecia e a relação que travamos com o mundo.

Apoiados por profecias modernas, esses textos de 2.500 anos indicam que eventos observados ao nosso redor refletem o desenvolvimento das nossas crenças pessoais. Documentos do século IV, conservados na biblioteca particular do Vaticano, por exemplo, fornecem pormenores dessa relação, advertindo-nos de que "o espírito do Filho do Homem foi criado do espírito do Pai Celestial, e *seu corpo, do corpo da Mãe Terrestre. O Homem é o Filho da Mãe Terrestre*, e dela o Filho do Homem recebeu o seu corpo. Tu não estás com a mãe celestial; ela está em ti e tu estás nela (...)". (grifos meus)[13]

Nas únicas palavras que conheciam, os essênios nos lembram de uma relação que as ciências modernas já confirmaram. O ar em nossos pulmões é o mesmo que movimenta os oceanos e fustiga os desfiladeiros mais escarpados. A água que compõe mais de 98% do sangue que corre em nossas veias é a mesma água que uma vez formou os grandes oceanos e as nascentes das montanhas. Por meio de escritos de uma outra era, os essênios fazem-nos enxergar a nós mesmos como seres unidos à terra, em vez de separados dela. É de uma visão tão antiga de mundo que nos chegam dois preceitos-chave para nos orientar através dos maiores desafios de nossos tempos modernos.

Primeiro, somos avisados de que os desequilíbrios impostos à natureza se refletem nas condições internas de nosso corpo. Essas tradições vêem a falência do sistema imunológico e o crescimento de tumores em nosso organismo, por exemplo, como a expressão particular de uma falência coletiva que impede o mundo exterior de dar-nos vida.

Segundo, essa linha de pensamento nos incita a considerar terremotos, erupções vulcânicas e os padrões climáticos como espelhos de grandes mudanças que ocorrem dentro da consciência humana. É claro que, por meio de uma visão de mundo como essa, a vida se torna muito mais do que um conjunto de experiências cotidianas que ocorrem aleatoriamente. Os eventos de nosso mundo são como barômetros vivos que nos mostram o progresso de uma jornada que começamos a trilhar há muito tempo. Quando enxergamos nossas relações pelos padrões dessas sociedades e da natureza, estamos na verdade testemunhando mudanças dentro de nós mesmos. Essas perspectivas holísticas indicam que as mudanças no mundo representam para nós uma rara oportunidade de avaliar as conseqüências de nossas escolhas, crenças e valores, de modo dramático, como uma espécie de mecanismo de *feedback*. Quando reconhecemos esse mecanismo, despertamos para novas possibilidades de escolhas ainda mais amplas para nossa vida.

Essas possibilidades de cura foram conservadas em silêncio pelas tradições tribais e pelas profecias pré-cristãs, por centenas de gerações. Aos olhos daqueles que vieram antes de nós, tudo pareceria estar ocorrendo na data prevista; o tempo das grandes mudanças chegou. Se o mundo exterior reflete de fato nossas crenças e valores, é possível dar um fim às suas dores e seus sofrimentos se optarmos pela paz e pela compaixão, em nossa vida? No presente, as imagens de blocos de gelo derretendo, do aumento perigoso do nível dos oceanos, do crescimento global na atividade de terremotos e de uma terceira guerra mundial estão só começando a se formar. Se levada às últimas conseqüências, cada uma dessas imagens pode ser considerada uma séria ameaça à própria sobrevivência da espécie humana.

Ainda temos esperança, porque elas ainda não chegaram a termo. A chave para interromper esses eventos está em tempo de ser acionada: quanto mais cedo admitirmos a relação que temos com o mundo à nossa volta, mais cedo aceitaremos escolher interiormente a paz, o que se refletirá em padrões climáticos mais amenos, no restabelecimento de nossas sociedades e na paz entre as nações.

Já existem provas da existência de uma eficiente tecnologia, esquecida há muito tempo e profundamente escondida em nossa memória coletiva. Vemos cotidianamente as provas dessa tecnologia espiritual na alegria de uma nova vida e de um amor duradouro, e também nas condições que afastam a felicidade de nós. É a ciência interior que nos dá força para transcender com graça as profecias de destruição para o tempo futuro e os desafios da vida. Na sabedoria coletiva, reside a oportunidade de alcançar uma nova era de paz, de cooperação mundial, sem precedentes na história humana.

Profecia quântica numa época de esperança

Desenvolvida no começo do século XX, a ciência da física quântica contém princípios que permitem relacionar intimamente o tempo, a oração e o nosso futuro de uma forma que apenas agora começamos a entender. Entre as propriedades da teoria quântica que mais nos intrigam, encontra-se a existência de muitos resultados para um dado momento no tempo. Reminiscência da passagem bíblica "Na casa de meu Pai há muitas moradas"*, a "casa" do nosso mundo é o lar de muitas consequências possíveis para as condições que criamos no decorrer de nossa vida. Em vez de afirmarmos que *criamos* a nossa realidade, seria mais correto dizer que criamos, isto sim, as condições nas quais *atraímos consequências futuras*, já estabelecidas, no foco do presente.

As escolhas que fazemos enquanto indivíduos determinam por qual morada, ou *possibilidade quântica*, passamos em nossa vida pessoal. Como nossas escolhas individuais pertencem a categorias amplas que afirmam ou negam a vida em nosso mundo, as muitas escolhas de que dispomos fundem-se numa resposta simples e coletiva aos desafios do momento. Por exemplo, optar pelo perdão, pela compaixão e pela paz atrai futuros que refletem essas possibilidades. A beleza de nossa analogia com a frase de Hermes Trismegisto "assim em cima, como embaixo" é que está nos sendo

---
* João 14.2. (N. do T.)

mostrado o significado de cada escolha feita, a cada momento, pelos homens e mulheres individualmente, pessoas de todas as classes sociais e profissões. Mesmo na ausência do dinheiro ou do privilégio, todas as escolhas transmitem a mesma força e o mesmo valor. Evidentemente, orientar nosso curso através das possibilidades da vida é um processo de grupo. Num mundo quântico, não há feitos escusos e cada ação praticada por cada indivíduo conta. Vivemos no mundo que criamos juntos.

Nem as profecias antigas, nem as modernas, podem prever o futuro; estamos aperfeiçoando nossas escolhas a cada momento! Embora possa parecer que estamos caminhando rumo a uma conseqüência específica, esse trajeto pode mudar radicalmente para produzir outra conseqüência que é bastante inesperada (dentro do breve intervalo de trinta minutos, por exemplo, como aconteceu no caso ilustrativo citado, dos bombardeios sobre o Iraque). As predições proporcionam apenas possibilidades. O físico Richard Feynman, considerado por muitos como o maior inovador do novo pensamento desde Albert Einstein, falava justamente desse tipo de chave profética quando afirmou que "não sabemos como prever o que acontecerá numa dada circunstância. A única coisa que pode ser prevista é a probabilidade de diferentes eventos".[14]

Talvez as passagens mais importantes de nossos textos pré-cristãos se refiram a uma ciência perdida, conhecida hoje como *oração*. Considerada por muitos como a raiz de toda tecnologia, a oração, que é a união do pensamento, do sentimento e da emoção, representa a oportunidade que temos de expressar a linguagem da mudança em nosso mundo e em nosso corpo. Por meio de palavras de outra era somos lembrados do potencial que a oração pode trazer para nossa vida. Hoje, as pesquisas modernas, feitas em linguagem científica, chegam às mesmas conclusões.

No final dos anos 80, o efeito da oração e da meditação em massa foi documentado por estudos feitos em grandes cidades, nas quais a ocorrência de crimes violentos diminuiu de maneira mensurável devido a vigílias contínuas de paz, mantidas por pessoas treinadas para esse propósito.[15] Os estudos eliminaram a possibilidade de "coincidência", resultante de ciclos naturais, mudanças na política social ou aplicação da lei. Ao mesmo tempo que um clima de calma e de paz era criado *dentro* dos grupos de estudo, os efeitos de seus esforços eram sentidos além das paredes e edifícios que eles ocupavam. Por meio de uma rede invisível que parecia penetrar os sistemas de crenças, as organizações e os estratos sociais das cidadelas interiores, a escolha pela paz, feita no íntimo de algumas poucas pessoas, tocou a vida de muitos. Manifestava-se claramente um efeito direto do comportamento humano, que podia ser observado e medido, e estava relacionado com grupos que se concentravam em oração e meditação.

A mudança foi *criada* de fato por aqueles que se concentraram continuamente na paz? Ou aqueles que faziam as vigílias de paz demonstravam, em vez disso, uma outra possibilidade, com grandes implicações e apenas documentadas sob condições de laboratório? Se as teorias quânticas citadas antes estiverem corretas, então, para cada crime observado numa cidade, uma outra conseqüência é gerada no mesmo momento; e caracterizada pela ausência de crime. Os pesquisadores chamam essas possibilidades de "revestimento", uma vez que elas parecem cobrir uma realidade com a conseqüência inerente a uma nova possibilidade.

Existiria algum tipo de oração que pudesse trazer esses revestimentos para o foco do presente? Para que os experimentos acima, por exemplo, fossem possíveis, a conseqüência de paz e a conseqüência de crime teriam de coexistir *no mesmo instante*, uma vez que uma dá passagem para o foco da outra. Duas coisas ocupando o mesmo espaço ao mesmo tempo não seriam uma impossibilidade, na nossa maneira de pensar? Ou será que não?

No livro lançado recentemente, *A Verdade por trás do Código da Bíblia*,* o dr. Jeffrey Satinover relata uma nova e extraordinária pesquisa que procura esclarecer precisamente essas possibilidades. Num desses estudos, relata Satinover, dois átomos de propriedades bastante diferentes foram documentados num ato que desafia as leis da natureza como as entendemos hoje em dia. Dentro de condições normais, *os dois átomos estavam ocupando exatamente o mesmo lugar, precisamente ao mesmo tempo!*[16] Até esses estudos serem verificados, um fenômeno como esses era considerado impossível. Agora sabemos que não é. A conseqüência para nosso mundo, em qualquer momento dado no tempo, é determinada por pessoas, por máquinas, pela Terra e pela natureza. Em seus níveis mais fundamentais, nossas conseqüências são feitas de átomos. Se dois desses blocos elementares de construção do universo podem coexistir no mesmo instante, o mesmo pode acontecer com muitos átomos, resultando em muitas conseqüências. A diferença pode ser simplesmente de proporção.

Graças à linguagem sofisticada da ciência quântica, temos hoje o vocabulário necessário para descrever com precisão como contribuímos para determinar as conseqüências futuras dos nossos atos. Reconhecendo que as experiências de nossa vida são eventos situados ao longo do curso do tempo, os antigos nos revelam que, para mudar a natureza de nossa expe-

---
* Publicado pela Editora Pensamento, São Paulo, 1998.

riência, basta que optemos por seguir um novo rumo. A diferença entre essa linha de raciocínio e a suposição de pensar que criamos nossa própria realidade ao manipular a fábrica da criação é grande e, ao mesmo tempo, extremamente sutil.

A capacidade que temos de mudar o foco da nossa atenção, e não de criar ou impor mudanças ao mundo, talvez seja a antiga chave a que se referiam os grandes mestres da mudança passiva, ao longo da História. Buda, Gandhi, Jesus Cristo e aqueles que participaram da oração coletiva em novembro de 1998 constataram os efeitos dessa mudança. A física quântica acredita que, ao redirecionarmos o nosso foco — onde pomos nossa atenção —, *trazemos um novo curso de eventos para esse foco*, ao mesmo tempo que abandonamos um curso existente de eventos que pode não mais nos servir.

Talvez seja precisamente isso o que aconteceu no entardecer de novembro, durante a campanha contra o Iraque. Embora atingir objetivos políticos pela força militar possa ter sido útil no passado, podemos ter chegado a um tempo no qual essas táticas já estejam superadas. Tão estranho quanto possa parecer, a ameaça passada de destruição mútua entre potências de forças semelhantes criou, na verdade, um dos mais longos períodos de paz relativa que nosso mundo conheceu em períodos recentes. Apesar de tudo, algo mudou nessa noite de novembro. Com uma só voz, nossa família global optou por dirigir a atenção para o *revestimento* de paz, em vez de conquistar a paz por intermédio de uma solução militar. Apesar de os trinta e tantos países participantes da oração nessa noite representarem apenas uma pequena fração de nosso mundo, os efeitos foram magníficos. Nessa noite, nenhuma vida se perdeu nos ataques aéreos ao Iraque. Conquistar a paz em nossa vida poderia ser tão simples quanto um esforço harmonizado e unificado para se concentrar nela como se ela já existisse? As antigas tradições nos perguntam por que devemos tornar as coisas mais difíceis do que isso.

Reescrevendo o futuro

A membrana que separa as possibilidades futuras pode ser tão delgada que não conseguimos perceber quando a atravessamos rumo a uma nova conseqüência. O "desejo repentino", por exemplo, de nos exercitarmos mais constantemente, de mudar nossos hábitos alimentares, ou de reavaliar um relacionamento representa uma escolha nova que rompe a estrutura de um padrão presente e promete um novo resultado. Embora possamos achar que essa escolha foi *espontânea* ou *natural*, ela nos dá a oportunidade de experimentar a possibilidade da saúde ou de uma nova relação, o que era apenas um sonho no passado. A prece é a linguagem que torna possível a expressão dos nossos sonhos, tornando-os reais em nossa vida. E se as nossas escolhas fossem feitas intencionalmente?

Agora, talvez mais do que em qualquer outra época da História, a escolha do resultado nos pertence. Uma vez que lemos as palavras, reconhecemos as possibilidades e nos expomos a novas idéias, não podemos voltar à inocência do momento anterior. Na presença daquilo que vimos, temos que dar sentido à nossa experiência. Podemos ser indiferentes em relação ao que nos foi mostrado, queixando-nos da falta de provas ou exigindo mais dados, ou podemos aproveitar a oportunidade de seguir um novo caminho. O momento em que reconciliamos cada nova possibilidade é o momento em que a magia tem início: é o momento da escolha.

À medida que o nosso mundo da à luz novas terras e massas continentais, padrões climáticos, calotas polares e alterações magnéticas são testemunhos das mudanças que ocorrem. À luz de pesquisas recentes, qual seria o potencial de se aplicar a sabedoria de 2 mil anos de idade numa escala global, para responder aos desafios do novo milênio, resultando numa transição para a saúde, a paz e a graça? O trabalho de parto já começou. A História aponta para *agora*, os últimos dias da profecia.

Tu fizeste com que eu conhecesse
Tuas coisas profundas e misteriosas.
– *LIVRO DE HINOS DOS MANUSCRITOS*
DO MAR MORTO

PALAVRAS PERDIDAS
DE UM POVO ESQUECIDO

*Para além da ciência, da religião
e dos milagres*

Aconteceu muito depressa. Algumas vezes, a sensação de um evento dura mais que o evento em si. Essa foi uma dessas ocasiões. Eu reproduzi a cena na minha mente muitas vezes. Em câmara lenta, eu podia perceber cada um dos quadros. Da posição segura de um observador, estudei os pormenores, buscando respostas — algo no universo dos meus conhecimentos que desse sentido àquilo que eu havia testemunhado.

Eu apenas percebera o ancião alguns momentos antes, quando cruzava o pátio do estacionamento, a caminho do restaurante à beira-mar. Eu o vira, ele e uma mulher que acreditei ser sua esposa, abrindo caminho em meio a uma pequena multidão que se aglomerava na calçada, em frente à área de recepção. Juntos, acabavam de sair pela porta de vaivém, para o ar quente e pesado de uma noite de verão na costa da Geórgia. Seu andador de aço inoxidável precedia os seus passos, assegurando-lhes a firmeza necessária para fazer alcançar o movimento seguinte.

De repente, o ritmo mudou. Inesperadamente, ele deparou-se com a guia uns quinze centímetros acima do nível da rua. Eu assisti, como se fosse em câmara lenta, seu andador balançar desequilibrado, inclinar-se para um lado e desabar sobre o asfalto, ainda quente do implacável dia de verão. O homem, agarrado à empunhadeira do aparelho, caiu sobre ele com estardalhado. Onde caiu, ficou. Imóvel. Como um observador surrealista, permaneci imóvel, na rua. Silencioso. Testemunhando.

O vento parecia importunar meus ouvidos, trazendo fragmentos dos gritos de horror da esposa do homem:

— Socorro! Por favor, ajudem-nos.

Em poucos segundos, eu estava ao lado deles, na rua. Não fui, contudo, o primeiro a chegar. A princípio, eu não percebera ninguém por perto, nem alguém se aproximando. Mas, ao lado do homem caído, já havia outra mulher agachada com a cabeça dele no colo. Havia um rastro vermelho brilhante sob a cabeça do homem. Com cuidado, ela posicionou o corpo dele sob a luz para ver de onde o sangue vertia. Sob a iluminação fraca que vinha do salão do restaurante, pude ver as dobras de sua pele, que escondiam a ferida de onde o sangue vertia.

Delicadamente, a mulher separou as dobras da pele e descobriu a ferida. O sangue tomava uma coloração estranha sob a luz de mercúrio da rua. À primeira vista, parecia outra dobra da pele. Então, percebi um ponto mais escuro, um brilho profundo, assim que ela separou as dobras. Sem dizer nada, a mulher tocou o tecido rompido e começou a acariciar a ferida como se acaricia um bicho de estimação. Olhei para o rosto dela. Seus olhos estavam fechados e ela inclinava a cabeça para o céu. Do interior do restaurante, um grupo de pessoas que vira o incidente aglomerava-se em volta de nós. Não se ouvia nada, a não ser um ou outro sussurro. A multidão inteira permanecia calada e imóvel, como se uma mensagem muda estivesse sendo transmitida. Mais tarde, nessa noite, um dos espectadores comentou que naquele momento havia sentido uma certa atmosfera de santidade. Alguém chegou a ponto de suspeitar que estava acontecendo algo sagrado.

Juntos, todos ficamos extasiados com o que vimos. Primeiro, não tínhamos certeza do que estava ocorrendo. Se, por um lado, nossos sentidos nos sugeriam uma coisa, a lógica da situação nos ditava outra. Ali, no estacionamento pouco iluminado do pequeno restaurante, testemunhei algo que a ciência moderna chamaria de milagre. Diante dos olhos de uma dúzia de testemunhas, a mulher silenciosamente tocou o corte do homem e a ferida começou a desaparecer. Em poucos instantes, a ferida estava curada, sem deixar nenhuma marca da queda há pouco ocorrida.

Alguém havia ligado para o serviço de emergência e os paramédicos chegaram em pouco tempo. Quando as luzes da ambulância apareceram piscando, a multidão começou a se dispersar para que os paramédicos pudessem penetrar no pequeno círculo onde o homem permanecia deitado. A mulher, que continuava a acariciar a cabeça e os ombros do homem, deu espaço para a equipe de emergência. Observávamos enquanto eles examinavam as marcas de sangue na camisa do homem. Rapidamente eles constataram que a fonte das manchas ficava atrás da cabeça, num ponto logo abaixo do ouvido. Assim como fizera a mulher um pouco antes, os enfermeiros separaram as dobras da pele, de onde o sangue escorrera. Para surpresa deles, e espanto dos demais, não havia nenhuma ferida. Parecia que o sangue tinha surgido precisamente nesse ponto da cabeça do homem, escorrido e manchado o colarinho da camisa. Mas não havia marcas de ferida, cortes, nem cicatriz. Parecia que o sangue, ainda úmido na pele do homem, tinha surgido do nada! Uma pergunta surgiu em minha mente durante essa cena: Como é possível? Por que uma ciência tão avançada, capaz de espreitar a natureza de um átomo e construir máquinas que viajam até os confins da galáxia, considera uma cura, como a que eu acabava de testemunhar, um milagre?

Palavras perdidas

Embora não tenhamos, na ciência ocidental, parâmetro de comparação para um evento como esse, ele se adapta muito bem no terreno da tradição indígena e dos textos antigos. Além disso, as mesmas tradições nos fazem lembrar que é hoje, durante a convergência de muitos ciclos de tempo, que reconheceremos a importância desses milagres. À medida que testemunhamos eventos que se encontram além do escopo da ciência que aceitamos, reavivamos a memória de uma força que viveu em cada um de nós por centenas de gerações. Por aproximadamente dois mil anos, essa força esteve adormecida enquanto éramos testados pelos desafios da história humana. As mesmas tradições indicam que agora despertaremos nossos dons para enfrentarmos até mesmo desafios ainda maiores durante a vida. Assim, adentramos uma era de cooperação e paz sem precedentes, ao mesmo tempo que asseguramos um futuro para as próximas gerações.

Por que, então, os paroxismos da natureza e a inquietude social do mundo de hoje constituem um mistério para a inteligência ocidental? Não seria por causa de uma capacidade defeituosa de compreensão que demoramos tanto para explicar os processos naturais? Estaria faltando alguma coisa? Seria possível que, nos recessos da nossa sabedoria coletiva, perdemos o conhecimento que daria sentido ao que aparentemente não faz sentido?

Durante a segunda metade do século XX, foram descobertos alguns documentos que trouxeram luz a essas perguntas, sempre tão freqüentes. Manuscritos aramaicos, etíopes, coptas, gregos e latinos de centenas de anos respaldam as tradições indígenas e afirmam que a resposta a essas perguntas é: Sim!

Uma tecnologia esquecida

Há 1.700 anos, elementos-chave de nossa herança antiga se perderam; foram relegados à elite sacerdotal e às tradições esotéricas da época. Como um esforço para simplificar as tradições religiosas e históricas, frouxamente organizadas, do seu tempo, o início do século IV, o imperador romano Constantino convocou um conselho de historiadores e estudiosos. Aquele que seria conhecido como Concílio de Nicéia recomendou que pelo menos 25 documentos fossem modificados ou removidos da coleção de textos.[1] O comitê achou que vários dos trabalhos estudados eram redundantes, com histórias coincidentes e parábolas repetidas. Outros manuscritos eram tão abstratos e, em alguns casos, tão místicos, que foram considerados sem valor prático. Além disso, outros vinte documentos de apoio foram removidos e reservados para alguns pesquisadores e estudiosos privilegiados. Os livros restantes foram condensados e reestruturados para ficarem mais significativos e mais acessíveis ao leitor comum.

Todas essas decisões contribuíram para confundir ainda mais o mistério do nosso propósito, das nossas possibilidades e das relações entre as pessoas. Depois de realizada sua tarefa, o concílio emitiu um documento, em 325 d. C. O resultado dos trabalhos é um dos textos mais controvertidos da História Sagrada, hoje conhecido como Bíblia Sagrada.

Mil e setecentos anos depois, as implicações do Concílio de Nicéia continuam a moldar nossa política, nossa estrutura social, nossa compreensão religiosa e nossa tecnologia. Embora estejamos vivendo num mundo sofisticado com base científica, as pressuposições que levaram às conquistas tecnológicas estão firmemente arraigadas nas crenças de como nos relacionamos com o mundo. Essa compreensão, desenvolvida ao longo de milhares de anos, tornou-se o fundamento da ciência que conhecemos. Como seria, por exemplo, a tecnologia petrolífera que dirige a economia hoje, se tivéssemos reconhecido as leis da harmonia e simplesmente construído as nossas máquinas sintonizadas à energia da faixa de sete centímetros que permeia o mundo? Essa tecnologia só é possível na presença de um sistema de crenças que entenda as leis holísticas da natureza, os verdadeiros princípios que desapareceram das tradições sagradas há quase 2 mil anos. Talvez a nossa incapacidade para reconhecer essas relações se revele numa tecnologia que acredita que temos de *domar* as formas de energia que queimam ou explodem, para assim movimentar o mundo. Essas expressões exteriores da tecnologia refletem o nosso sentimento interior de separação.

É evidente que essas implicações não podiam ser vistas pelos membros do Concílio de Nicéia, há quase 2 mil anos, ou mesmo pelos tradutores dos textos, centenas de anos depois. Uma declaração do Arcebispo Wake da Cantuária revela a ingenuidade dos editos de Nicéia. Quando lhe perguntaram por que preferiu traduzir textos em vez de dar vazão à liberdade criativa, publicando trabalhos seus, ele respondeu: "Porque acho que esses escritos terão uma aceitação mais ampla e sem preconceitos do que algo escrito por um contemporâneo."[2] Como os membros de um concílio no século IV poderiam saber que o livro que produziram seria a base de uma das maiores religiões do mundo?

Recentemente, foram recuperados e postos à disposição do público documentos isolados e bibliotecas completas que haviam se perdido depois de morte de Cristo. Ao que se saiba, não existe uma única compilação que contenha todas as informações, uma vez que as traduções foram produzidas ao longo dos séculos, por autores diferentes e em diversas línguas. Mas de tempos em tempos surgiram grupos de traduções. Mediante o trabalho de estudiosos modernos, uma dessas compilações dos livros perdidos da Bíblia foi publicada no século XX.[3] Entre os documentos identificados e que foram retirados da Bíblia moderna estão os seguintes livros:

Carta de Barnabé
I Clemente*
II Clemente**
Cristo e Abgaro
O Credo dos Apóstolos
O pastor de Hermas I – Visões
O pastor de Hermas II – Mandamentos
O pastor de Hermas III – Parábolas
Efésios***
Evangelho da Infância I
Evangelho da Infância II

Livro de Maria
Magnésios
Evangelho de Nicodemo
Paulo e Sêneca
Paulo e Tecla
Filipenses
Filadelfos
Policarpo
Romanos
Tralianos
Correspondência entre Pôncio Pilatos e Herodes

Em seguida, há um índice parcial de textos de apoio retirados durante os editos do século IV e reservados apenas para estudiosos:[4]

---

* Carta aos Coríntios. (N. do T.)
** *Idem.* (N. do T.)
*** Trata-se provavelmente da carta de Inácio de Antioquia. (N. do T.)

O primeiro livro de Adão e Eva
O segundo livro de Adão e Eva
Livro dos Segredos de Enoque
Salmos de Salomão
Odes de Salomão
Quarto livro dos Macabeus
A história de Aicar
O testamento de Rúben
Aser
José

Simeão
Levi
Judá
Issacar
Zebulom
Dã
Naftali
Gade
Benjamim

Até hoje sofremos as conseqüências da remoção e, em alguns casos, da alteração desses 41 livros, bem como talvez de alguns outros que descrevem a nossa herança e relação com o cosmo. A ausência de textos tão importantes pode explicar a impressão de muitas pessoas que afirmam que os registros bíblicos são esparsos e incompletos. O conhecimento da existência desses documentos dá uma sensação de resolução, tanto a pesquisadores sérios quanto a historiadores casuais. Só agora, quase 2 mil anos depois que esses textos desapareceram da literatura acessível, é que poderemos finalmente completar a nossa história.

Embora todos esses livros perdidos contribuam para a compreensão do passado da humanidade, certamente alguns são mais importantes do que outros. Entre os mais significativos, estão os que descrevem a vida de pessoas cujas realizações são consideradas sobre-humanas. Um exemplo é o Livro de Maria*, mãe de Jesus. Durante séculos, os pesquisadores imaginaram que Maria houvesse representado um papel bem maior na vida de Jesus do que o descrito nas versões abreviadas da Bíblia moderna. O livro que leva o nome dela nos dá uma idéia da herança e dos valores familiares que a levaram a ser a mãe de Jesus. Os textos que se seguem ao Livro de Maria mostram como ela orientou o filho, instilando nele os valores que permitiriam que os seus dons de cura e profecia servissem às pessoas deste mundo e mais além.

Os pais de Maria, por exemplo, eram descendentes da linhagem de Davi, uma das tribos originais de Israel. Eles, Joaquim e Ana, estavam casados há vinte anos, aproximadamente, quando conceberam a sua única

---

* Não se trata do Evangelho de Maria, encontrado entre os Manuscritos de Nag Hammadi, pois nele Maria é Maria Madalena. Deve tratar-se do Proto-Evangelho de Tiago, também conhecido como Natividade de Maria, uma vez que o texto desse livro assemelha-se ao que o autor descreve acima. (N. do T.)

filha. O espírito de Maria entrou no ventre de Ana depois de um sonho que tanto ela quanto Joaquim tiveram na mesma noite e em lugares diferentes. Na presença do "anjo do Senhor", eles fizeram um voto de que a filha seria "devotada ao Senhor desde a infância e plena do Espírito Santo desde o ventre de sua mãe".[5] O nome dessa filha seria Maria e, pela sua pureza, ela concordaria com uma rara concepção quando tivesse 14 anos de idade. Outros livros descrevem o tempo que decorreu até o nascimento de Jesus e os primeiros anos que o sucederam, bem como alguns milagres que ele realizou quando criança,* que não constam de outros textos.

Os Livros de Adão e Eva oferecem uma das maiores visões do nosso papel na História e das nossas crenças atuais. O primeiro Livro de Adão e Eva começa na época da criação, descrevendo o local do "jardim", que seria o do Éden. Plantado no "leste da terra", ele ficava "na fronteira oriental do mundo, além do qual, na direção do sol nascente, não existe nada a não ser água, que envolve toda a terra e chega até às fronteiras do céu. E, ao norte do jardim, há um mar de água, clara e pura ao paladar, diferente de qualquer outra".[6]

Depois de Adão e Eva terem sido expulsos, foi dada a eles uma estranha escala de tempo que determinava a duração do exílio, inclusive de seus descendentes, até um determinado momento no futuro. Naquela que pode ter sido a primeira das grandes profecias, o Criador disse a Adão e Eva: "Ordenei os dias e os anos nesta terra, e tu e tua semente nela deverão andar e habitar até se cumprirem os dias e os anos." Esse momento final é descrito como seguinte aos "cinco grandes dias e meio", posteriormente definido como "5.500 anos". Seria então, que ao fim de um grande ciclo, "alguém viria para salvar" Adão e seus descendentes.

Por quase dois mil anos, especulamos sobre o tempo perdido e as óbvias lacunas nos registros bíblicos. A recente recuperação dos livros perdidos da Bíblia trouxe nova luz e possivelmente deu passagem para questões ainda mais relevantes para a compreensão do mundo. O que se sabe é que, na melhor das hipóteses, a nossa interpretação da História, bem como do nosso papel na criação, são incompletos. Seria possível que os próprios fundamentos da nossa sociedade e cultura, a nossa linguagem, religião, ciência e tecnologia, até mesmo a forma pela qual amamos uns aos outros, estejam baseados numa compreensão incompleta da nossa história mais sagrada e antiga? O que é que esquecemos a respeito das nossas relações

---

* Evangelho Pseudo-Tomé, Evangelho árabe da infância, Evangelho armênio da infância e Livro da infância do Salvador. (N. do T.)

com as forças do mundo que nos impede de compreender a cura ocorrida no estacionamento do restaurante na Geórgia naquela noite? Talvez essa lacuna possa ser preenchida agora, com as novas revelações sobre uma sabedoria que forma a base das grandes religiões do mundo: os ensinamentos dos antigos essênios.

Os misteriosos essênios

Quinhentos anos antes de Cristo, um misterioso grupo de estudiosos formou comunidades que veneravam um antigo ensinamento que começou antes da História registrada. Conhecidos coletivamente como essênios, formavam várias seitas, entre as quais os nazirenos e os ebionitas. Os eruditos romanos e judeus referiam-se aos essênios como "uma raça em si mesma, mais notável do que qualquer outra no mundo".[7] Parte de suas tradições está contida em antigos escritos como os hieróglifos sumérios, datados de cerca de 4000 a. C. Em quase todos os grandes sistemas de crença existentes hoje, podem ser encontrados elementos dessa linhagem original de sabedoria, inclusive na China, no Tibete, no Egito, na Índia, na Palestina, na Grécia e no sudoeste norte-americano. Além disso, muitas das grandes tradições do mundo ocidental, como os maçons, os gnósticos, os cristãos e os cabalistas, têm raízes nesse mesmo conjunto de informações.[8]

Conhecidos como "os eleitos" e "os escolhidos", os essênios foram o primeiro povo a condenar abertamente a escravidão, o uso de servos e a matança de animais para servirem de alimento. Eles consideravam o trabalho físico uma comunhão saudável com a Terra e eram agricultores, vivendo perto da terra que lhes dava a vida. Os essênios viam a oração como a linguagem por meio da qual podiam venerar a natureza e a inteligência criativa do cosmos, que para eles eram uma só. Eles oravam regularmente. A primeira prece do dia era oferecida antes do amanhecer, quando se levantavam para trabalhar nos campos. Rezavam antes e depois de cada refeição e novamente ao deitar, no fim do dia. Consideravam a prática da oração uma oportunidade de participar do processo criativo da vida, e não um ritual estruturado, exigido ao longo do dia.

Sendo estritamente vegetarianos, os membros das comunidades essênias não consumiam carne animal, alimentos à base de sangue e líquidos fermentados. Uma das explicações mais precisas para essa dieta pode ser encontrada na seguinte passagem dos Manuscritos do mar Morto: "Não mates o alimento que entra na tua boca. Pois se comeres alimentos vivos, eles te estimularão, mas se matares a tua comida, a comida morta também te matará. Pois a vida provém apenas da vida e a morte sempre da morte. E tudo aquilo que mata o seu alimento, matará também o seu corpo."[9] Esse estilo de vida fazia com que eles vivessem até 120 anos, ou mais, com vitalidade e grande resistência.

Os essênios eram estudiosos meticulosos, registrando e documentando as suas tradições para as gerações futuras. Talvez o melhor exemplo de seu trabalho esteja nas bibliotecas ocultas que eles espalharam pelo mundo todo. Como cápsulas do tempo metodicamente distribuídas, esses manuscritos eram janelas que mostravam o modo de pensar de um povo antigo e uma sabedoria esquecida. Que mensagem têm eles para nós?

Os Manuscritos do mar Morto

Nas cavernas esquecidas da área de Qumran, perto do mar Morto, foi encontrada uma das mais acessíveis e controvertidas bibliotecas dos essênios. Acredita-se que esses documentos, conhecidos como Manuscritos do mar Morto e que podem chegar a quase mil, foram escondidos com o intuito de salvaguardá-los. Descobertos por beduínos, por volta de 1946-47, a sua validade não foi comprovada até meados de 1948. Nessa época, os especialistas da American Schools of Oriental Research confirmaram a idade dos sete primeiros manuscritos. (Segundo esses estudiosos, os Preceitos da comunidade, Os contos dos patriarcas, Hinos de ação de graças, Comentários sobre Habacuque, Preceitos da guerra e O livro de Isaías (duas cópias) foram escritos *centenas de anos* antes dos outros textos descobertos até hoje na Terra Santa. Em 1956, haviam sido descobertas onze cavernas, as quais continham os remanescentes de cerca de 870 rolos, compostos de mais de 22 mil fragmentos de papiro, couro de animais e rolos metálicos. Só na Caverna número quatro havia aproximadamente 15 mil fragmentos, a maior quantidade de textos desenterrados até agora.

A tradução e a publicação dos rolos estiveram sujeitas a muitas controvérsias por mais de quarenta anos. Até recentemente, a biblioteca do mar Morto era de responsabilidade única de uma equipe de oito pessoas. Só em 1990, em conseqüência de pressões políticas e acadêmicas, o conteúdo da biblioteca das cavernas de Qumran foi divulgado abertamente. Em 1991, a Biblioteca Huntington, no sul da Califórnia, anunciou que estava de posse de um conjunto completo de fotos dos Manuscritos do mar Morto e que os abriria ao público. Seguindo o exemplo, em novembro do mesmo ano, Emanuel Tov, chefe da equipe oficial dos Manuscritos, anunciou o "acesso livre e incondicional a todas as fotografias dos Manuscritos do mar Morto, inclusive àquelas anteriormente não liberadas".[10]

A presente controvérsia sobre os manuscritos traz de volta a mesma pergunta: Que mensagem poderia estar contida num texto de dois mil anos para que ele continuasse a ser ocultado do público quase cinqüenta anos depois de sua descoberta?

O que esses 22 mil fragmentos de cobre, couro animal e papiro poderiam dizer que tivesse impacto na vida hoje?

Uma das razões para a demora em publicar a tradução dos pergaminhos é que eles parecem ser uma das mais antigas versões da Bíblia moderna. Por mais animadora que pareça essa descoberta, o problema consiste nas discrepâncias entre os textos originais transcritos pelos essênios e as versões bíblicas aceitas hoje em dia. Os documentos encontrados nas cavernas do mar Morto não passaram pelos editos do Concílio de Nicéia, no século IV, pelas traduções para os idiomas ocidentais ou pelas interpretações dos estudiosos nos últimos 2 mil anos.

Nesses pergaminhos, estão histórias e parábolas desconhecidas desde que foram removidas da versão canonizada da Bíblia, no século IV. Escritos em hebraico e aramaico, os pergaminhos em alguns casos contêm textos supostamente transmitidos pelos próprios anjos. Além disso, a biblioteca contém visões raras da vida de profetas como Enoque e Noé e pelo menos doze textos anteriormente desconhecidos, escritos por Moisés. Nenhum desses documentos está incluído na Bíblia atual. Certamente os rolos de Qumran estão apenas entreabrindo a porta para novas possibilidades no relacionamento do ser humano com o passado coletivo e entre si mutuamente.

Segredos dos essênios

Um trecho dos Manuscritos do mar Morto explica o motivo pelo qual os antigos essênios se afastaram das áreas urbanas de sua época, formando suas próprias comunidades no deserto: "Os filhos da luz sempre viveram onde os anjos da Mãe Terra se regozijam: perto de rios, perto de árvores, perto de flores, perto da música dos pássaros, onde o sol e a chuva abraçam o corpo, que é o templo do Espírito."[11] A natureza e as leis naturais eram a base do modo de vida dos essênios. O caminho para a compreensão de sua visão de mundo pode ser encontrado nas crenças quanto ao relacionamento entre o corpo humano e os elementos da terra.

Para os essênios de Qumran, a palavra *anjo* descrevia os elementos hoje conhecidos como forças elétricas e magnéticas. Algumas dessas forças eram visíveis e tangíveis, enquanto outras eram etéreas, embora não menos presentes. Por exemplo, uma referência ao "anjo da terra" pode significar o anjo do ar e os anjos da água e da luz. As forças da emoção e da consciência também eram citadas como anjos, como por exemplo o anjo da alegria, do trabalho e do amor. Essa visão do pensamento essênio nos permite considerar as palavras desse povo, 2.500 anos depois, com nova esperança e compreensão.

Na linguagem de sua época, os autores dos Manuscritos do mar Morto expressavam uma visão de mundo que considera uma relação holística e unificada entre a Terra e o corpo humano. Em palavras eloqüentes e poéticas, os textos de Qumran nos lembram que somos o produto de uma união especial, o matrimônio entre a alma do céu e a matéria do mundo. Esse princípio afirma que, sem exceção, fazemos parte daquilo que vemos como nosso mundo e estamos indissoluvelmente ligados a ele. Por meio de fios invisíveis e cordões incomensuráveis, somos uma parcela de cada expressão de vida. Cada rocha, árvore, montanha, rio e oceano são uma parte de cada um de nós. E o mais importante é que nos lembram que você e eu somos parte um do outro.

As tradições essênias referem-se a essa união como a união da "nossa Mãe Terra" com o "nosso Pai do Céu": "Pois o espírito do Filho do Homem foi criado do espírito do Pai Celestial, e o seu corpo do corpo da Mãe Terrestre. A sua mãe está em ti e tu estás nela. Ela te deu à luz: deu-te a vida. Foi ela que te deu o teu corpo (...), da mesma forma que o corpo de uma criança recém-nascida nasce do ventre de sua mãe."[12] Somos a união assexuada dessas forças: o masculino do "nosso Pai do Céu" combinado com o feminino da "nossa Mãe Terra".

Essa visão unificada nos leva a pensar que, através do fio comum que liga o nosso corpo à terra, a experiência de um se reflete no outro. Enquanto esse matrimônio for mantido, a união entre corpo e espírito continuará e o suave templo do nosso corpo viverá. Se o acordo for desrespeitado, a união terminará, o templo morrerá e as forças da terra e do espírito retornarão aos seus respectivos lugares de origem. A sabedoria essênia que continha esses conceitos sutis estava entre a coleção de textos que formariam as nossas atuais tradições bíblicas. Esses mesmos textos, entre outros documentos, foram removidos pelo Concílio de Nicéia durante os editos do século IV. A elegante simplicidade que permeia os grandes ensinamentos dos essênios e que formaria os elementos significativos da nossa vida hoje foi redescoberta, preservada e em boas condições, nas grandes bibliotecas dos reis alemães Habsburgos e na Igreja Católica, durante a primeira parte do século XX. Os manuscritos do Vaticano, mantidos por mais de 1500 anos, foram a fonte de documentos que levaram Edmond Bordeaux Szekely a publicar traduções revistas desses raros textos essênios. Em 1928, ele apresentou o primeiro de uma série de trabalhos que seriam conhecidos como O Evangelho Essênio da Paz, com novas visões e renovado respeito por essa linhagem de sabedoria que antecede quase todas as grandes religiões atuais.

A biblioteca de Nag Hammadi

Dois anos antes da descoberta dos Manuscritos do mar Morto, já havia sido encontrada outra biblioteca de antigas sabedorias, que viria a mudar para sempre a idéia de como era o cristianismo primitivo. Na região de Nag Hammadi, no Alto Egito, uma coleção de rolos foi encontrada por dois irmãos, em dezembro de 1945. Enterrados dentro de uma urna selada, os textos constam de doze manuscritos completos e oito páginas de um 13º, todos escritos num tipo de papel antigo, feito de tiras de papiro. Essa coleção de documentos tornou-se conhecida como Biblioteca de Nag Hammadi e se encontra no Museu Copta do Cairo. Essa biblioteca passou por muitas mãos antes de ter os seus volumes reconhecidos, autenticados e registrados no museu, em outubro de 1946. Embora alguns desses rolos tivessem sido usados como combustível nos fornos da população local, os restantes estão muito bem preservados, fornecendo informações novas e, em alguns casos, inesperadas sobre as tradições dos antigos gnósticos e as primitivas tradições cristãs.

Datada do século IV, a biblioteca de Nag Hammadi começa aproximadamente na época em que os Manuscritos do mar Morto terminam. Jamais se teve conhecimento dessa continuidade nos ensinamentos espirituais e religiosos dos antigos cristãos, inclusive de sua visão da nossa época, por meio das profecias. As tradições gnósticas originaram-se num momento em que as primeiras doutrinas cristãs estavam sendo reformuladas e adquirindo uma nova identidade. Os gnósticos identificavam-se com os ensinamentos centrais do cristianismo, *em sua forma original* e preferiram separar-se para não seguir a onda de mudanças que desviava as tradições cristãs de suas crenças. Quando o Império Romano converteu-se ao cristianismo tradicional, os seguidores gnósticos primeiramente foram relegados à condição de uma seita radical, e, depois totalmente erradicados das considerações da cristandade. Livros como o Evangelho de Maria, os Apocalipses de Paulo, Tiago e Adão, e o Livro de Melquisedeque sobrevivem hoje como um testamento da sabedoria gnóstica, para preservação de importantes ensinamentos para as futuras gerações.

O APOCALIPSE DE ADÃO

Como o gnosticismo é considerado originário das tradições dos primitivos cristãos, muitos de seus textos têm histórias, mitos e parábolas semelhantes aos dos textos cristãos.

Entre os documentos de Nag Hammadi, há um conhecido como o Apocalipse de Adão. Sob forma de uma coletânea de ensinamentos de inspiração e transmissão divina, esse livro é o relato sobre o Adão que lemos no livro do Gênesis. O que torna tão particular o Apocalipse de Adão é a aparente ausência de relação com qualquer texto anterior. Parece que esse texto, em particular, já estava completo e estabelecido como uma forma primitiva de gnosticismo, muito antes da época da literatura cristã.

Adão inicia seu relato descrevendo a presença de três visitantes celestes, guias que lhe mostraram, por meio de visões, o futuro da humanidade. Pouco antes de sua morte, ele ditou suas revelações ao filho Set. Do mesmo modo que o profeta Enoque, que, em idade avançada, ditou os segredos da criação ao filho Matusalém, os textos começam com Adão ensinando o filho "no ano 700".[13] Estabelecendo uma breve história de sua vida com Eva, mãe de Set, Adão relata sua visão dos acontecimentos futuros. "Agora, meu filho Set, revelar-te-ei as coisas que aqueles homens que vi diante de mim mostraram primeiramente."[14] Adão fala da época do grande dilúvio, ainda por vir, com minuciosas referências à família de Noé e à arca que os salvou.

Talvez a profecia mais significativa seja a sua descrição de um salvador que ele chama de "Iluminador". Adão fala de uma terra que será continuamente flagelada por enchentes e fogo até que o Iluminador apareça pela terceira vez. Depois de sua aparição, os grandes poderosos do mundo, descrentes, questionam o seu poder, autoridade e capacidade. Em treze cenários, Adão fala em treze reinos que identificam falsamente o Iluminador como sendo originário de fontes tão diversas como "dois Iluminadores", "um grande profeta" e de uma outra época, "o íon que está abaixo". Será a geração "sem rei", no futuro de Adão, que identificará corretamente as origens do Iluminador como um ser divino, escolhido entre todos os tempos passados e futuros e trazido ao presente: "Deus o escolheu entre todos os íons. Ele fez com que o conhecimento de grande verdade daquele que é imaculado viesse a se realizar."[15] Obviamente, esses textos abrem novas perspectivas para os pormenores fragmentados que permanecem comumente nas versões "autorizadas" da nossa antiga herança.

O TROVÃO: A MENTE PERFEITA*

Dentre os textos de Nag Hammadi, talvez o mais persuasivo seja aquele escrito por uma mulher de tradições gnósticas, e intitulado *O trovão: a mente perfeita*. Segundo George W. MacRae, um dos tradutores do texto, ele é "praticamente único na Biblioteca de Nag Hammadi e bastante incomum".[16] Escrito na primeira pessoa, o manuscrito está na forma de diálogo, no qual a autora anônima afirma ter passado por várias dicotomias da experiência humana: "Pois eu sou a primeira e a última, eu sou a honrada e a desprezada, eu sou a prostituta e a santa. Eu sou a esposa e a virgem, eu sou a estéril e a mãe de muitos filhos."[17]

Em palavras que lembram a poesia dos Manuscritos do mar Morto, ela nos lembra que, dentro de cada pessoa, vivem todas as possibilidades de experiências, desde a mais luminosa das luzes até à escuridão mais tenebrosa. O texto termina com um verso advertindo os leitores de que, quando os homens forem para o seu local de repouso: "Eles me encontrarão, e viverão, e jamais morrerão novamente."[18]

O EVANGELHO DE TOMÉ

Um dos textos mais controvertidos de Nag Hammadi é um documento conhecido como Evangelho de Tomé. Pelo menos parte desse manuscrito foi traduzida do grego para o egípcio copta, a língua usada nos mosteiros cristãos do Egito, no início do primeiro milênio. O Evangelho de Tomé é uma rara coletânea de dizeres, parábolas, histórias e citações diretas de Jesus, que supostamente foram registrados pelo irmão deste, Dídimo Judas Tomé. É o mesmo Tomé que mais tarde fundaria várias igrejas cristãs no Oriente.

Partes desse texto são muito semelhantes ao manuscrito do Evangelho Q,[19] manuscrito de referência que se acredita ser do século I. Os textos "Q", assim chamados devido à palavra alemã *Quell*, "fonte", são renomados por terem sido usados como referência pelos autores do Novo Testamento. Mas alguns trechos do Evangelho de Tomé não foram encontrados no

---

* Também chamado de Bronté, o espírito perfeito. (N. do T.)

Evangelho Q, o que indica que ele é uma fonte independente que pode confirmar e dar validade a outros textos da mesma época.

As palavras do Evangelho de Tomé estão entre as mais místicas dos manuscritos gnósticos. Ao mesmo tempo, à luz do rico contexto oferecido pelos Manuscritos do mar Morto, as mesmas palavras adquirem um novo significado e apresentam novas interpretações. Por exemplo, em resposta à pergunta dos discípulos quanto ao seu eventual destino neste mundo, o Evangelho de Tomé cita uma parábola de Jesus: "Pois existem cinco árvores no Paraíso para vós, as quais permanecem intocadas no verão e no inverno, e cujas folhas não caem. Quem as conhecer não passará pela morte."[20] Na ausência de uma interpretação do que possam ser as "cinco árvores", essas palavras passam por um simples provérbio místico. Mas no contexto essênio dos anjos da vida, essas palavras se tornam uma confirmação da antiga ciência da vida eterna: as cinco chaves do pensamento, do sentimento, do corpo, da respiração e das substâncias nutrientes. Textos que confirmam que Jesus era mestre nas tradições essênias, dão maior credibilidade à interpretação dessa referência mística à vida eterna.

Além da ciência, da religião e dos milagres

Os mesmos textos que preservaram as profecias indicam que é possível transmutar as predições de mudanças catastróficas, mesmo aquelas que parecem iminentes. Escritos como os Evangelhos dos Essênios e a biblioteca de Nag Hammadi revelam uma sabedoria que nos permite concentrar as visões positivas individuais num desejo coletivo que reformulará o nosso futuro. Assim fazendo, redefiniremos as antigas profecias de elevação do nível dos mares, terremotos devastadores, explosões solares e a ameaça de uma guerra mundial.

Por mais diferentes que pareçam, em alguns aspectos, os pormenores da nossa herança perdida, existem alguns temas comuns que ligam os mesmos textos a uma fonte significativa de conhecimentos para a época atual. Por meio da sabedoria que antecede a História, somos lembrados de que escolhas afirmativas no mundo dos pensamentos, sentimentos e emoções refletem-se como eras de paz e perdão, no mundo mais amplo da nossa família e comunidade. Da mesma forma, as escolhas que negam a vida no nosso corpo revelam-se como inquietação, opressão e guerra nas nossas cidades, nossos governos e nações. Mais uma vez, somos lembrados de que o mundo interior e o exterior são como espelhos um do outro. É a simplicidade dessa memória única que faz com que milagres, como a cura relatada no início deste capítulo, possam ser esperados e não apenas desejados.

Talvez os elementos de maior poder, perdidos com os editos do Concílio de Nicéia, no século IV, sejam as ciências da profecia e da oração. Consideradas por alguns como as ciências mais antigas que existem, essas tecnologias interiores são a nossa oportunidade para, primeiro identificar as conseqüências das escolhas atuais e, depois, escolher o nosso futuro, com fé e confiança.

Eu li nisto aquilo que sempre existiu,
o que existe e o que existirá.

– *EVANGELHO ESSÊNIO DA PAZ*

AS PROFECIAS

Visões silenciosas de um futuro esquecido

Num âmbito quase universal, tradições centenárias nos revelam que a nossa época não é comum na história da humanidade ou da Terra. Os que viveram antes de nós deixaram suas mensagens proféticas codificadas em textos sagrados, tradições orais e sistemas de contagem do tempo. Escritos para pessoas que eles só podiam imaginar em sonhos, essas mensagens mantêm viva a memória de visões que, em alguns casos, antecedem os primeiros momentos da História registrada. Com o tempo, o tema dessas profecias incorporou-se em diversas tradições religiosas e práticas espirituais. Por mais que pareçam diferentes, algumas semelhanças dessas tradições são pistas do significado dessas palavras sagradas para os dias de hoje. Só recentemente esses vislumbres antigos sobre nossa época foram confirmados e validados, com a ajuda de computadores e outras ciências do século XX.

Guardiães do tempo: Os misteriosos maias

O mistério dos antigos maias continua insolúvel no alvorecer do século XXI. Tão subitamente quanto apareceram, nas áreas remotas da península do Iucatã, há quase 1500 anos, esses arquitetos de templos maciços e observatórios celestes, desapareceram por volta do ano 830 d.C. Além das extensas praças e torres de pedra, eles deixaram algumas pistas do seu passado e talvez do nosso futuro em seus insuperáveis cálculos do tempo.

O calendário dos povos maias é possivelmente um dos sistemas mais antigos e sofisticados de contagem do tempo. Até à invenção dos relógios atômicos, baseados na vibração dos átomos de césio, o calendário maia superava, em precisão, todos os registros temporais conhecidos antes do século XX. Atualmente, descendentes desse povo registram o tempo e sabem a data correta por meio de um sistema que, segundo especialistas, "não falhou nenhum dia em mais de 25 séculos".[1] Reconhecendo a natureza como um ciclo recorrente de acontecimentos, o calendário maia reflete a maneira como esse povo interpretava o tempo: como um conjunto de períodos encadeados.

A chave do calendário maia era uma contagem de 260 dias, chamado de *tzolkin*, ou "Calendário Sagrado". Também comum em outras tradições meso-americanas, o *tzolkin* é criado como interface entre vinte dias determinados e uma contagem baseada no número treze. Mas os maias iam mais longe em seu registro do tempo. Entremeados com uma contagem de 365 dias, chamado de "Ano Vago", os dois ciclos de tempo progrediam como as engrenagens de duas rodas, até um raro momento em que o Calendário Sagrado coincidia com o mesmo dia do Ano Vago. Marcando o fim de um ciclo de 52 anos, esse celebrado dia definia uma extensão ainda maior de tempo. O "Grande Ciclo" dos 5.200 anos anteriores compunha-se de cem ciclos de 52 anos. Com base nesses cálculos e nas tradições dos próprios sacerdotes do calendário maia, os registros do último Grande Ciclo começam na época de Moisés, cerca de 3114 a.C., e terminam por volta do ano 2012 da nossa era.

As visões dos maias acerca do nosso futuro e o seu sistema de contagem de tempo estão estreitamente ligados entre si. Os antigos profetas afirmavam que os ciclos temporais tinham características exclusivas baseadas numa "grande onda" que viajava periodicamente através do cosmo. À medida que a onda perpassa a criação, o seu movimento sincroniza ciclicamente a vida com as forças da natureza. A conclusão do atual ciclo é considerada particularmente significativa tanto para a Terra quanto para a humanidade.

Reconhecido como especialista em cosmologia maia, o dr. José Argüelles presume que o presente subciclo de vinte anos, iniciado em 1992, marca "o surgimento de tecnologias não materialistas, ecologicamente harmônicas (...) para saudar a nova sociedade de informação descentralizada".[2] Os anciãos maias de hoje acreditam que o encerramento desse grande ciclo milenar ocorrerá dentro da nossa era, em 2012, e já fora previsto há mais de 3 mil anos. Eles consideram esse momento como o ponto culminante e o nascimento de uma época de muitas mudanças. Referindo-se a atributos específicos destinados aos ciclos, o dr. Argüelles é da mesma opinião, afirmando que, com a convergência dos ciclos maias, o nosso objetivo de "unir totalmente a mente da terra e selá-la com a harmonia das estrelas seminais"[3] será cumprida.

De modo semelhante, as tradições astecas do México central dividem as grandes extensões da História em ciclos chamados de "Sóis". Elas falam de um tempo do Primeiro Sol, chamado *Nahui Ocelotl*, quando o mundo era habitado por gigantes que viviam debaixo da terra. Referências bíblicas de um mundo semelhante, encontradas no livro de Enoque, que foi considerado apócrifo pelo Concílio de Nicéia, descrevem dias em que "as mulheres concebiam e davam à luz gigantes, cuja estatura era de 300 cúbitos.* Esses gigantes devoravam tudo o que o trabalho dos homens produzia, até que se tornou impossível alimentá-los..."[4] Esse período terminou quando o reino animal derrotou o reino humano. Não há indicações de sobreviventes dessa estranha época da história do mundo.

O Segundo Sol, o grande ciclo seguinte, chamado *Nahui Ehecatl*, notabilizou-se como a época em que os novos seres humanos começaram a cultivar e fazer cruzamentos entre diferentes espécies de plantas. O fim desse período foi marcado por um grande vento que varreu a superfície da Terra, arrasando tudo em seu caminho.

Durante o Terceiro Sol, *Nahui Quiauhuitl*, as populações do planeta construíram grandes templos e cidades. Segundo as tradições astecas, esse ciclo terminou com enormes fendas se abrindo no solo e uma "chuva de fogo". De fato, de acordo com os registros geológicos, houve uma época em que partes da Terra parecem ter sido cobertas pelo fogo. Acredita-se que essa devastação tenha sido o resultado do impacto com um objeto, possivelmente um asteróide, há aproximadamente 65 milhões de anos. O fim do Quarto Sol, marcado pelo gelo e uma grande inundação, foi confirmado geologicamente, bem como por tradições orais e escritas comuns a todas as culturas. O calendário asteca indica que hoje estamos vivendo os últimos dias do Quinto Sol. Prevê-se que o fim desse quinto mundo deva ocorrer na nossa era, coincidindo com o último ciclo maia e dando lugar ao próximo grande ciclo, o nascimento do Sexto Sol.

Usando o passado como modelo, muitas tradições antigas descrevem os tempos de mudança, como épocas de atribulação e purificação. Durante esses períodos, devemos considerar essas raras, e muitas vezes destrutivas,

---

* Nos tempos antigos, o cúbito era uma medida de comprimento que se baseava na distância entre a ponta do dedo médio e o cotovelo da pessoa que estivesse no poder no momento. Obviamente essa medida era variável. O comprimento médio dessa medida num homem adulto atual seria de 43 a 51 centímetros.

demonstrações da natureza como uma oportunidade para nos fortalecermos e nos prepararmos para mudanças ainda maiores no nosso mundo. Alguns dos temas comuns nas profecias para essa época são fenômenos climáticos estranhos e a perda de muitas faixas litorâneas devido ao aumento do nível do mar, além de fome, secas, terremotos e a quebra das infraestruturas mundiais.

Profetas do século XX, como Edgar Cayce, previram mudanças imensas na Terra, que alterarão a geografia da América do Norte no fim dos anos 90 e início do século XXI. Entre esses fenômenos, inclui-se a visão de um grande mar interior ligando o Golfo do México aos Grandes Lagos e a submersão de grande parte do litoral leste e oeste. As descrições gráficas do nosso futuro, muitas delas feitas há centenas ou milhares de anos, criaram um novo padrão para as possibilidades de tecnologia interior e profecia. Como os nossos ancestrais puderam enxergar acontecimentos que ocorreriam na nossa época? E, talvez o mais importante, até que ponto essas visões são exatas?

Visão remota: Profetas do século XX

A palavra profeta evoca imagens de antigos videntes vestidos com mantos compridos, sonhando acordados com um tempo ainda por vir. Nas tradições dos profetas bíblicos, isso pode muito bem ser verdade. Mas a atual ciência da profecia ainda é uma atividade respeitada, envolta no mistério de um nome novo. Com base em pesquisas conduzidas no respeitado Stanford Research Institute (SRI), no princípio dos anos 70, a capacidade de testemunhar acontecimentos a distância foi denominada de visão remota. Embora os pormenores da visão remota possam variar de uma pessoa para outra, o procedimento geral é o mesmo para todos os videntes. Em geral iniciando com um estado de relaxamento leve, com os olhos fechados, o receptor utiliza impressões sensoriais concernentes a acontecimentos que estejam ocorrendo em qualquer lugar do planeta —, na sala ao lado ou num deserto posto avançado do outro lado do mundo. Treinado para distinguir diferentes tipos de sensação, o vidente então designa identificadores para a experiência, aprimorando as impressões com mais pormenores. Sons, cheiros, gostos e sensações, bem como imagens, podem acompanhar essas jornadas. O treinamento pelo qual os videntes remotos aprendem a aceitar e a registrar essas impressões sem preconceitos é o que os diferencia do sonhador casual. Com as óbvias implicações quanto à necessidade de sigilo, essas capacidades sugerem todo um novo mundo de coleta de informações com riscos menores.

A visão remota, atualmente, tem um papel aceitável na segurança e na defesa das nações do mundo livre. Em 1991, por exemplo solicitou-se a videntes a distância que atuavam sob os auspícios da Science Applications International Corporation (SAIC), que concentrassem a pesquisa numa área no oeste do Iraque, em busca de um determinado tipo de míssil.[6] Limitar a busca a partes específicas do deserto iraquiano poderia significar uma economia de tempo, de combustível, de vidas e de dinheiro. Certamente a visão remota, ou seja, a capacidade de projetar a consciência de uma pessoa de um lugar para outro, tornou-se objeto de um estudo sério. Ironicamente, apenas nos últimos anos do segundo milênio a ciência moderna confirmou os princípios dessa tecnologia interior, compreendida pelos profetas há 2.500 anos.

Para muitas pessoas, o primeiro contato com a ciência de vislumbrar acontecimentos a distância em tempo real se deu por meio de programas de rádio. Animados com a aproximação do novo milênio, muitos especialistas no campo da visão remota e da previsão relataram suas aventuras pelo mundo do futuro, por vezes com resultados perturbadores, embora não surpreendentes. De modo semelhante às descrições das profecias milenares, as viagens remotas ao nosso futuro se enquadram em uma de duas categorias de experiência. Alguns videntes não conseguiam ir além do ano 2012 d.C., o ano familiar do calendário maia e o término do atual grande ciclo. Os exploradores do tempo relataram terem visto, em 2012, uma terra muito diferente. Do ponto de vista deles, o mundo parecia ter passado por algum tipo de cataclismo.

Eles não conseguiam ver edifícios, nenhum sinal de comércio ou das atividades rotineiras segundo os padrões de hoje. Os videntes de 2012 podem, muito bem, ter testemunhado um resultado já descrito pelos profetas, uma destruição pós-guerra de grande parte do mundo conhecido por nós.

Outros videntes que perscrutaram o futuro mais recentemente relatam um cenário semelhante, agravado por uma grande onda de fogo e calor. Esse panorama lembra teorias que previam ondas cíclicas de fluxos de prótons e plasma que viajam através do cosmo em enormes ciclos de tempo, ocasionalmente esbarrando na Terra em seu trajeto. Em qualquer um dos casos, os relatos dos videntes remotos descrevem um futuro que não parece muito animador. Segundo um tema comum a muitas profecias milenares, pode haver uma alternativa para esses resultados.

Nostradamus

Por mais de quatrocentos anos, a palavra *profecia* tem sido associada ao nome de Nostradamus, cujas visões se estendiam por centenas de anos à sua frente. Nascido em 14 de dezembro de 1503, Michel de Nostredame tornou-se conhecido como Nostradamus, talvez o profeta mais ilustre dos últimos tempos. Seu dom da segunda visão lhe permitiu enxergar o futuro de sua época, testemunhando acontecimentos com riqueza de pormenores e grande precisão. Ao estudar antigos oráculos, ele desenvolveu suas próprias técnicas para navegar nas ondas do tempo como observador, muitas vezes trazendo à sua época tecnologias do futuro. Por fim, Nostradamus tornou-se físico, incorporando à prática muitas das suas idéias proféticas. As suas técnicas, que hoje parecem comuns, eram revolucionárias para a Europa do século XVI, flagelada pela peste negra. Essas técnicas incluíam o uso de algumas ervas, ar fresco e água limpa.

Além disso, ele prescreveu misturas de aloés e pétalas de rosa, ricas em vitaminas e desconhecidas na sua época.

Um dos relatos mais conhecidos a respeito dos dons proféticos de Nostradamus ocorreu inesperadamente, quando ele encontrou um grupo de monges que viajava por uma estrada. Nostradamus imediatamente se ajoelhou aos pés de um dos homens e beijou a barra da sua veste. Quando lhe perguntaram o porquê daquilo, ele respondeu simplesmente: "Tenho de me ajoelhar diante de Sua Santidade." Apenas quarenta anos depois, dezenove anos depois da morte de Nostradamus, o misterioso acontecimento na estrada solitária se esclareceu. Em 1585, o frade cuja roupa o profeta havia beijado tornou-se o Papa Sixto V.

Em seu trabalho mais conhecido, *As Centúrias*, Nostradamus registrou suas visões do futuro. Na época de sua morte, ele havia registrado por escrito profecias que abarcavam dez séculos, cada uma com cem versos de quatro linhas cada, chamados de quatrinos. Publicadas incessantemente desde a sua morte, essas profecias se estendem até o ano de 3797 d.C. ou, segundo algumas interpretações, até mais além.

Prevendo acontecimentos sociais, políticos e científicos de magnitude global, muitas de suas visões parecem extremamente precisas. Outras, que não mencionam datas, são nebulosas e, na melhor das hipóteses, sujeitas a interpretação. Nostradamus escreveu sobre duas guerras mundiais, completas, com o nome de Hitler e uma descrição da suástica; sobre a descoberta da penicilina e da energia nuclear; sobre o assassinato de John Kennedy; sobre o vírus da AIDS e sobre a derrocada do comunismo. Embora as datas e os acontecimentos sejam sujeitos a interpretação, os estudiosos concordam que o profeta previu uma mudança cataclísmica, em escala global, para o final do milênio.

Embora a época exata de certos acontecimentos possa ser calculada pelos leitores por meio de frases-chave, só no caso de alguns fatos decisivos Nostradamus citou a data real. É, portanto, muito interessante que uma dessas datas venha a ocorrer na nossa época. O quatrino 72, da décima centúria, diz: "No ano de 1999 e sete meses, virá do céu um grande Rei do Terror. Ele dará vida ao grande Rei dos Mongóis. Antes e depois, a guerra reinará alegremente."[7] Outras visões desse quatrino ameaçador podem ser encontradas na *Epístola para Henrique II*, verso 87, na qual Nostradamus escreve: "Isso será precedido por um eclipse do sol mais escuro e tenebroso do que jamais se viu desde a criação do mundo, com exceção daquele que houve depois da paixão e morte de Jesus Cristo." Um eclipse solar, visível em grande parte do continente europeu, ocorreu em 11 de agosto de 1999.

As visões de Nostradamus também previam mudanças cataclísmicas na Terra, semelhantes às mencionadas nas tradições dos nativos americanos e na Bíblia. Continuando no verso 88 da epístola a Henrique, o profeta chega a determinar o mês em que tudo acontecerá: "Haverá presságios na primavera, e depois disso mudanças extraordinárias, colapso de nações e grandes terremotos (...). E no mês de outubro, ocorrerá um grande movimento do globo, e será tal que pensarão que a Terra perdeu o seu movimento gravitacional normal e será jogada no abismo da perpétua escuridão."

Olhando mais adiante no futuro, Nostradamus viu uma época muito mais feliz depois dos dias de escuridão da Terra. Numa passagem da segunda centúria, quatrino 12, alguns eruditos interpretam a visão de Nostradamus como a descrição de uma renovação espiritual: "O corpo sem alma não está mais no sacrifício. No dia da morte ele renascerá." A terceira centúria continua descrevendo essa época futura, no quatrino 2: "O mundo divino dará o sustento que contém céu e terra (...) Corpo, alma e espírito são todo-poderosos. Tudo está sob os seus pés, no assento do céu." Essas visões do século XVI certamente não são científicas e comportam muitas interpretações, mas elas contêm muitos traços de outros profetas, tanto dos antigos quanto dos mais recentes.

Edgar Cayce

Edgar Cayce é conhecido como o "profeta adormecido" do século XX. Nascido em março de 1877, sua educação formal só foi até o nono ano da escola. Embora tivesse passado por experiências paranormais quando criança, ele só desenvolveu de fato seus dons de clarividência e cura depois de adulto.

Limitando suas sessões de cura a duas por dia, Cayce muitas vezes viajava até as experiências passadas de seus clientes para poder compreender suas condições no presente. Embora, ao sair do estado de transe, não se lembrasse do conteúdo das leituras que fazia, a sua secretária, Gladys Davis, sempre estava presente para registrar as sessões. Por meio dessas centenas de relatos, sistematicamente catalogados na Association for Research and Enlightenment (ARE), Cayce oferece breves vislumbres do passado, bem como do futuro.

A primeira cura reconhecida de Cayce, aos 24 anos, foi de si próprio. Com a ajuda de um hipnotizador, ele voltou sua atenção para um persistente problema na garganta, durante um estado de relaxamento e de alteração de consciência. Para surpresa de todos os presentes, em seu "estado de sono", Cayce começou a falar, pedindo ao hipnotizador que desse sugestões ao seu corpo adormecido. Reagindo imediatamente às instruções que redirecionavam o fluxo do sangue na parte superior do corpo, o problema na garganta desapareceu e, assim, Edgar Cayce deu início àquilo que seria uma vida de serviço aos semelhantes, fazendo leituras desse tipo.

A precisão dos registros de Cayce está bem documentada. Ele previu a queda do mercado de ações em outubro de 1929, na leitura n° 137-117: "Virá certamente uma quebra que trará pânico aos centros monetários, não apenas em Wall Street, mas ocasionando o fechamento das bolsas em muitos centros." Ele testemunhou aquela que seria chamada de Segunda Guerra Mundial, alguns anos antes de sua ocorrência. Em sua visão do conflito (leitura n° 416-7), ele declarou que os países começariam a tomar posição, conforme "indicado pelos austríacos, alemães e mais tarde os japoneses". Sua descrição continuava afirmando que, a menos que houvesse a intervenção de uma força, que ele descreveu como sobrenatural, "os negócios das nações e das pessoas, o mundo todo, seria incendiado pelos grupos militaristas e aqueles que buscavam o poder e a expansão (...)".[10] Em sua profecia mais conhecida, embora confusa, Cayce afirmou que os anos finais do século XX, bem como os primeiros do século XXI, representariam uma época de mudanças sem precedentes. Como os antigos videntes, ele previu mudanças globais de duas categorias principais: um futuro com mudanças gradativas e uma época de desvios tumultuosos, que podem ser descritos como catastróficos. *É interessante que os dois tipos de profecia foram feitos para o mesmo período.*

Na leitura nº 826-8, de agosto de 1936, Cayce foi questionado especificamente sobre as mudanças que ele via para os anos da virada do milênio: de 2000 para 2001. Em vez da imprecisão de muitas profecias, sua resposta foi uma afirmação direta sobre mudanças palpáveis na Terra: "Haverá um desvio do pólo magnético. Ou o início de um novo ciclo."[11] Flutuações dos pólos magnéticos terrestres em mais de cinco graus, nos últimos quarenta anos, considerados com a rápida diminuição da intensidade magnética que precede essas reversões polares na história da Terra, trouxeram mais credibilidade a essas visões.

Numa série de leituras que culminou em janeiro de 1934, Cayce descreveu alterações geográficas e geofísicas que ele viu num período de quarenta anos, entre 1958 e 1998.[12] Uma das interpretações dessas indicações é que elas se iniciariam e não terminariam em 1998. Essas mudanças provavelmente se estenderiam pelo novo século. Mark Thurston, especialista nos ensinamentos e leituras de Edgar Cayce, resume assim as descrições deste:

1. Haverá uma ruptura da massa terrestre em parte do oeste americano.
2. A maior parte do Japão afundará no mar.
3. Haverá algumas mudanças no norte da Europa, tão rápidas que podem ser descritas como se tivessem acontecido "num piscar de olhos".
4. Ao largo das costas da América, no Oceano Atlântico, a terra se elevará acima do nível do mar.
5. Grandes cataclismos atingirão o Ártico e a Antártica.
6. Haverá erupção de vulcões, principalmente nos trópicos.
7. Um deslocamento dos pólos alterará as condições climáticas. Regiões frias e semitropicais, por exemplo, se transformarão em tropicais.

Segundo Thurston, muitas dessas mudanças parecem estar diretamente ligadas ao deslocamento do pólo magnético. Embora uma inversão total ainda não tenha ocorrido, um número cada vez maior de cientistas e pesquisadores acredita que as mudanças recentes dos campos magnéticos são o prenúncio de um acontecimento desse tipo.[13]

Apesar de algumas das primeiras predições de Cayce, quanto ao final do milênio, parecerem catastróficas, leituras posteriores indicam uma mudança interessante, embora sutil. Em 1939, Cayce descreveu, numa visão, *mudanças gradativas* em lugar das súbitas anteriormente relatadas. Ele afirma que: "Em 1998, encontraremos uma grande quantidade de atividades que será gerada pelas mudanças graduais que estão por vir."[14] Ele continua falando sobre as mudanças do milênio, dizendo que: "A passagem entre Peixes e Aquário será paulatina e não cataclísmica."[15]

Ao fazer duas predições diferentes da mudança de século, Cayce pode ter proporcionado novas informações sobre o valor da profecia na nossa vida hoje. Reconhecendo que as suas leituras, tanto de mudanças catastróficas quanto graduais, foram feitas com um intervalo de poucos anos entre si, e não séculos, que mudança, no nosso futuro, essa diferença estaria sugerindo?

Qualquer que seja a visão que levemos em conta, a maior parte delas parece furtar-se a medidas exatas de tempo. Elas parecem representar momentos de possibilidade, e não uma indicação concreta com conseqüências precisas. Em suas próprias palavras, o "profeta adormecido" dá uma chave para a ciência da profecia, lembrando-nos de que podemos influir no resultado da História por meio do curso da nossa vida no presente. Na leitura nº 311-10.[16] Cayce afirma que a nossa reação aos desafios pode determinar, pelo menos em parte, a intensidade das mudanças previstas: "Dependerá de muitas condições metafísicas (...). Existem condições nas atividades das pessoas, quanto ao pensamento e empenho, que podem manter muitas cidades e países intactos por meio da aplicação das leis espirituais."

Profecias dos nativos americanos

Povos nativos da América do Norte e do Sul acreditam que os acontecimentos atuais reflitam pormenores das profecias de seus ancestrais. Para muitos, as visões de um mundo que virá têm sido mantidas em segredo pelas tradições tribais, para preservar a integridade da visão de seus ancestrais. Sentindo que agora, com o novo milênio, tenha chegado a época de que falam as profecias tribais, as instruções que encerram para essa época estão sendo reveladas.

Eles acreditam que pessoas de todas as procedências, de todas as nações, podem beneficiar-se com as visões de muito tempo atrás. Descontando diferenças específicas das tradições familiares e tribais, existem traços comuns ligando muitas das profecias nativas das Américas quanto ao nosso futuro.

Os hopis, do sudoeste norte-americano, oferecem algumas das mais concisas visões do nosso futuro ao profetizar o nascimento de um novo sol. Do mesmo modo que os maias, os astecas e outras tradições indígenas primitivas, os hopis acreditam que existiram grandes ciclos de experiências humanas antes de nossa época. Cada um desses ciclos terminou com um período de destruição, sendo o mais recente o do Grande Dilúvio. Estamos vivendo na proximidade do fim de um ciclo, preparando-nos para o dia do

Quinto Sol. As profecias hopis predizem uma era de declínio, antes do encerramento desse ciclo, seguida por um período de transição. Do ponto de vista deles, o tempo do declínio é uma época de grandes desafios, muitas vezes chamada de "tempo de purificação". Acreditando que a Terra e o nosso corpo sejam uma coisa só, os hopis encaram as condições do planeta como um "mecanismo de *feedback*", um tipo de barômetro, lembrando-nos de quando fizemos escolhas benéficas ou prejudiciais à vida em nosso mundo.

Uma das primeiras visões hopis a serem reveladas foram três sinais indicando uma escala de tempo para a Grande Mudança. O primeiro sinal era o surgimento da Lua "tanto na terra como nos céus". O cumprimento dessa parte da profecia era um mistério até 1993, quando imagens da Lua começaram a aparecer desenhadas em campos de trigo da Inglaterra. Imagens nítidas de uma Lua crescente foram interpretadas pelos anciãos hopis como a realização da primeira parte da profecia.

O segundo sinal era o surgimento da "estrela azul", símbolo comum no folclore e nos mitos de muitas tradições hopis. Alguns anciãos acreditaram que o impacto do cometa Shoemaker-Levy com Júpiter, em 1994, foi o cumprimento dessa profecia. Os pesquisadores estavam intrigados com a afirmação de que o impacto de um cometa destroçado pudesse ser considerado o cumprimento de uma profecia. O mistério foi revelado quando as imagens espectrográficas do planeta gigante foram observadas depois da colisão: Júpiter emitia uma curiosa cor azulada, que só podia ser vista com uma sofisticada aparelhagem!

Talvez o sinal mais místico das profecias dos hopis seja o terceiro. Nas danças, tecidos e pinturas na areia dos hopis, destacam-se estranhas imagens humanóides, que muitas vezes enfeitam suas casas e locais cerimoniais. Com roupas estranhas e rostos sobrenaturais, essas representações dos ancestrais hopis, o povo celestial, eram chamados *kachinas*. A terceira parte das profecias hopis afirma que terá chegado a hora da grande mudança quando os kachinas retornarem das estrelas, dançando novamente nas praças de suas aldeias. Pelo que eu sei, até o momento em que escrevo, o terceiro sinal ainda não se cumpriu.

Profecias bíblicas

No capítulo 2, vimos que alguns livros relacionados com a Bíblia moderna não foram aceitos oficialmente, no século IV, por serem considerados inadequados pela Igreja Católica. Relegado à obscuridade dos cofres e bibliotecas particulares da Igreja, um dos mais fascinantes e talvez o mais místico seja o antigo livro do profeta Enoque. Contendo eloqüentes descrições da Criação e da linhagem humana, além de informações astronômicas tão pormenorizadas que só puderam ser verificadas com a tecnologia do século XX, esse antigo texto era conhecido como o Livro dos Segredos de Enoque. Podemos encontrar referências diretas a esse texto num trabalho do teólogo Tertuliano, do século II. Em cartas recentemente recuperadas, ele explica que a "Escritura de Enoque" não é tratada da mesma maneira que as outras escrituras porque não está incluída no Cânone Hebraico.[17] Essas referências confirmam que o Livro de Enoque era considerado um trabalho viável pelos estudiosos antes dos editos do século IV do Concílio de Nicéia.

As profecias de Enoque têm uma semelhança marcante com as dos profetas bíblicos subseqüentes, como Isaías e, posteriormente, João, no Apocalipse. Enoque descreveu com muitos pormenores sua jornada profética ao futuro para seu filho, Matusalém, que registrou a experiência de seu pai para as gerações seguintes. Num manuscrito etíope, descoberto na Biblioteca Bodleiana em 1773, Enoque transmite uma visão de mudanças no clima e nos corpos celestes, previstas para o fim do nosso século. Identificado como "sétimo filho de Adão", Matusalém caracteriza as experiências proféticas do pai de modo bem diferente daquelas de Cayce, quando diz por exemplo, que Enoque "falava com os olhos abertos, enquanto tinha uma visão sagrada nos céus".[18]

Depois de suas grandes previsões para o futuro, Enoque afirmou que "ouvira todas as coisas e compreendera aquilo que viu; aquilo que não acontecerá em sua geração, mas numa outra, num período distante, devido aos eleitos (...). Nesses dias (...) a chuva se escasseará (...), os frutos da terra serão tardios e não vicejarão na estação apropriada; e na sua estação os frutos das árvores serão retidos (...), o céu permanecerá quieto. A Lua mudará as suas leis e não será vista nos períodos certos".[19]

Logo depois de prever essas tribulações pelas quais a Terra passará, Enoque descreve mais uma seqüência de acontecimentos, revelando uma época de beleza, esperança e possibilidades. Nessa outra série de previsões, que parece originar-se de uma visão diferente e que descreve um outro tempo, Enoque vê o céu anterior "partir e perecer", e declara que "aparecerá um novo céu". Esse estranho padrão de atribulações, aparentemente seguido por uma redenção, é comum nas visões de Enoque, como também em outras profecias que examinaremos.

Talvez a visão de tempos futuros mais carregada de emoção seja a encontrada numa coleção de profecias, nos textos bíblicos modernos. Abrangendo desde o destino de alguns líderes e chefes de Estado até visões globais do fim do mundo, as previsões da Bíblia continuam a provocar reações fortes nos leitores, milhares de anos depois das próprias profecias. Pode-se encontrar desde uma curiosidade constante até um fervor inabalável, chaves para o poder, bem como muita confusão, quando se remonta as interpretações modernas às origens das próprias visões.

Não é difícil descobrir, por exemplo, que muitas das profecias a que nos referimos hoje não foram registradas até muitos anos, *por vezes até milhares de anos*, depois de terem sido recebidas. Pelo fato de elas terem sido transmitidas oralmente, de geração em geração, não se sabe ao certo se alguns livros proféticos foram escritos pelos próprios profetas ou por outras pessoas, que usavam o nome do profeta como uma metáfora nas histórias.

O livro de Daniel é um desses casos. Na edição de Saint Joseph da New American Bible, o prefácio ao livro de Daniel afirma que: "Este livro leva o nome, não do autor, que é desconhecido, mas de seu herói, um jovem judeu levado para a Babilônia, onde viveu até 538 a. C."[20] A introdução prossegue: "O Livro contém histórias criadas e transmitidas pelas tradições populares, que contam as provações e os triunfos do sábio Daniel e de seus três companheiros."

Essa interpretação contradiz diretamente outros estudiosos da Bíblia, como John Walvoord, que diz: "Fica claro que o próprio livro afirma ter sido escrito por Daniel, pois ele é narrado na primeira pessoa em diversas passagens de sua segunda parte. (...) Daniel também é mencionado em Ezequiel, o que seria natural, pois este era contemporâneo daquele (...)."[21] Mesmo hoje, quase dois milênios depois da compilação dos textos, os eruditos ainda não chegaram a um consenso sequer sobre questões básicas de alguns dos nossos textos mais sagrados. Para aumentar ainda mais a confusão ao decifrar as profecias bíblicas, há o problema da precisão com que as palavras foram, ou não foram, traduzidas através dos séculos. Ao contrário de algumas partes da Bíblia hebraica, que se sabe terem sido traduzidas com precisão, letra por letra, pelo menos nos últimos mil anos,* a Bíblia ocidental passou por muitas mudanças. Desde o estabelecimento, dos Estados Unidos da América, há menos de trezentos anos, as adaptações, as traduções de uma língua para outra e as diversas interpretações que vêm sendo feitas da Bíblia provocaram uma certa margem de erro. Por mais precisa que seja a nossa coleção bíblica de histórias, genealogias e sabedo-

---

* O códice de Leningrado data do ano de 1008. Desde essa época, os estudiosos concordam que os primeiros cinco livros do Antigo Testamento hebraico permaneceram inalterados.

ria, em certos aspectos, ela não pode ser tomada literalmente; o texto muda de acordo com a tradução. Muitas vezes, simplesmente não existem palavras numa língua para representar com exatidão o mesmo conceito, do modo como é expresso em outra língua. Nesses casos, os tradutores fazem o melhor possível. É assim que pode surgir uma *aproximação* de temas e conceitos, nessas traduções.

A Bíblia ocidental, tal como a conhecemos hoje, passou por muitos desses processos, inclusive uma tradução da língua egípcia, altamente simbólica, seguindo as suas origens em aramaico e hebraico. Um exemplo de como a aproximação pode alterar sutilmente uma tradução bem-intencionada são as palavras aramaicas para a primeira linha do Pai-nosso. Em inglês, lê-se: "Our Father which art in heaven"* [Em português: "Pai nosso que estás no céu"** ou "Pai nosso que estais nos céus".***]. No original aramaico, todavia, a mesma frase é constituída de duas palavras: *Abwoon d'bwashmaya*. Não existem palavras exatas em inglês para essas duas palavras do aramaico. Aos tradutores, restou criar engenhosas associações de palavras inglesas que se aproximassem do significado original.

Uma amostra dessas aproximações é ilustrada pelas seguintes traduções possíveis desse exemplo do pai-nosso: "Ó, Aquele que cria! Pai e Mãe do Cosmo"; "Ó, Tu! Respiração vital de tudo!"; "Nome dos nomes, nossa pequena identidade se desenrola dentro de ti" e "Ó, Radiante: tu brilhas dentro de nós".[22] Todas essas são traduções válidas das palavras originais, e cada uma expressa um sentimento diferente para a intenção do texto original.

Só por esse exemplo podemos ver que o tema é constante, embora os pormenores específicos de linguagem possam variar. Do mesmo modo, se fotocopiarmos um texto hoje, muitas das cópias poderão ter semelhança com o original, embora sem a mesma clareza. No último século da história bíblica, são muitas as oportunidades para que se cometam erros na intenção original dos antigos profetas. Hoje podemos escolher entre uma variedade de interpretações e traduções; cada uma delas atendendo uma necessidade especial e possibilitando ao leitor uma aplicação particular. Um especialista em estudos bíblicos pode escolher entre a versão do Rei Tiago (*King James Version*) e diversas outras, como a Nova Versão Padrão Internacional (*New International Standard Version*), a Nova Bíblia Viva (*The New*

---

* Mt 6.9. Versão autorizada (*King James Version*) e *American Standard Version*. (N. do T.)
** Tradução de João Ferreira de Almeida (protestante) e Bíblia Pastoral (tradução conjunta católica, protestante e judaica). (N. do T.)
*** Tradução do padre António Pereira de Figueiredo (versão católica da Vulgata). (N. do T.)

Living Bible) e a edição de Saint Joseph. Cada versão origina-se da mesma coleção de pergaminhos, livros, documentos e manuscritos aceitos pela Igreja, no século IV.

A profecia perdida

Nas interpretações modernas das profecias bíblicas, encontramos uma classe particular de textos visionários identificados como "O fim dos tempos", "Os dias finais" ou "Naqueles tempos". Esses livros são conhecidos como *as profecias apocalípticas*. Muitas vezes tidos como uma descrição de tempos assustadores de escuridão e cataclismos no futuro da Terra, esses trabalhos podem, na verdade, estar mostrando às futuras gerações algo de natureza bem diferente.

Atualmente, a palavra *apocalipse* evoca profundos sentimentos de tristeza, desespero e julgamento, na nossa psique coletiva. Derivada do termo grego *apokalypsis*, essa palavra tem uma definição concisa e aparentemente inocente. Ela significa simplesmente manifestar ou revelar. Era isso precisamente o que os antigos profetas proporcionavam mediante suas magistrais visões do nosso futuro. Eles *revelavam* resultados possíveis, baseados nas condições do seu tempo, e *divulgavam* suas descobertas às futuras gerações.

O Livro da Revelação dos Essênios é um desses textos. Recuperado e traduzido do aramaico original, essa versão do Apocalipse é tão parecida com a versão canonizada posterior, conhecida como Apocalipse de São João, que os pesquisadores acreditam que o Manuscrito do mar Morto seja a interpretação original dessa antiga visão do nosso futuro. Considerada por muitas pessoas como a mais mística das profecias bíblicas, as visões do apóstolo João também trazem algumas das descrições mais vívidas das atribulações, levando em conta tanto as previsões antigas quanto as modernas. O que contribui ainda mais para o profundo simbolismo e esoterismo do texto é a natureza fragmentada da visão de João. Durante o estabelecimento do cânone bíblico no ano 325, parece que quase se atingiu um consenso quanto a alguns dos principais textos. Em vez de descartar totalmente os manuscritos, eles foram mantidos em versões editadas, e condensados da forma que se acreditava ser mais acessível aos leitores da época.

A jornada que se tornou a revelação de João para as futuras gerações começa quando ele pede para ser levado de sua época, para que possa ver o nosso futuro e um possível fim para o nosso milênio. Em pormenores, João descreve uma visão de caos, morte, terror e destruição, de tal magnitude como jamais havia sido visto. Ele pergunta ao seu guia angélico por que essas coisas estavam acontecendo e o anjo responde: "O homem criou esses poderes de destruição. Ele os engendrou em sua própria mente. Ele desviou o rosto (das forças) dos anjos, do Pai Celeste e da Mãe Terrena, e forjou a própria destruição."[23]

Ao testemunhar esse fim, o coração de João ficou "pesado de compaixão". Ele indaga: "Não há esperança?" A voz responde a João, fazendo ecoar uma lembrança das maiores possibilidades para a atual geração e para as futuras: "Sempre há esperança, ó tu, para quem o céu e a terra foram criados ..."[24]

Subitamente, a visão de morte e destruição desaparece e ele vê um outro cenário, *uma segunda possibilidade*. Em vez do fim de tudo o que a humanidade conhece e ama, essa nova possibilidade representa um resultado de natureza bem diferente. "Mas eu não vi o que aconteceu a eles, pois a minha visão mudou, e eu vi um novo céu e uma nova terra; pois o primeiro céu e a primeira terra haviam acabado (...). E eu ouvi uma grande voz (...) dizendo que não haverá mais morte, nem tristeza, nem choro, nem haverá mais dor."[25]

À medida que a visão de João se desenvolve, ele vê uma época em que a paz e a cooperação envolverão as nações do mundo. Nesse tempo, não haverá mais necessidade de guerra. Ele ouve o guia descrevendo o fim das guerras: "Nenhuma nação levantará a espada contra outra nação, nem elas aprenderão mais a guerrear, pois as coisas anteriores terão passado."[26] Por meio dessa e de outras passagens semelhantes, recebemos uma mensagem de esperança.

Seguindo um tema agora familiar em outras profecias, João viu duas possibilidades para o futuro da humanidade. Ambos os resultados eram reais, e qualquer um poderia ser escolhido pelos povos da terra. O segredo, reminiscente da nossa oração em massa pela paz, era que o resultado coletivo seria determinado por meio de nossas escolha individuais. A capacidade das pessoas da época de João de respeitar as leis da vida eram os experimentos que trariam novas conseqüências, descartando a possibilidade de destruição.

Em cada uma de suas visões, João é lembrado de que as pessoas que viviam "naqueles dias" determinariam a maneira como sentiriam a grande mudança do futuro da humanidade. Ele pergunta o que deve ocorrer para que suceda a segunda alternativa, a da paz. Novamente, a voz do guia responde: "Eis que farei todas as coisas novas; eu sou o início e o fim (...).

Eu darei de beber da fonte da vida com abundância àquele que tem sede. Aquele que se lembrar deverá herdar todas as coisas."[27]

As passagens finais registram como João reconhece o que entendeu daquilo que viu, e o efeito que a sua visão teve sobre ele mesmo: "Eu cheguei à visão interior, ouvi o teu assombroso segredo (...). Por meio de tua visão mística, fizeste com que uma fonte de conhecimento brotasse dentro de mim, uma fonte de poder, que mana águas vivas, um dilúvio de sabedoria abrangente."[28]

Outras passagens dos pergaminhos dos essênios continuam a pormenorizar a possibilidade de uma época no nosso futuro em que teremos superado a necessidade de deslocamentos catastróficos para promover mudanças. Nesse tempo, as condições que tiraram a vida dos habitantes da Terra já não mais existem: "No reino da paz, já não há fome nem sede, nem vento frio, nem vento quente, nem velhice, nem morte: os homens e os animais serão imortais."[29]

Os profetas bíblicos descreviam claramente resultados muito diferentes — muitas vezes conflitantes — para o nosso futuro. A questão é: por quê? Por que há visões tão diferentes para a mesma época do nosso futuro? Como pode um profeta entrever duas possibilidades tão diferentes para o mesmo período de tempo?

Em meados dos anos 90, descobriu-se um novo instrumento de profecia num formato muito antigo. É possível que a "trava de tempo" da tecnologia só nos permitiu enxergar por meio dos olhos desse instrumento profético quando já estávamos amadurecidos para reconhecer as suas possibilidades.

O mapa do tempo de 3 mil anos

Em 1995, um antigo instrumento de profecia veio abruptamente a público de forma bem detalhada e dramática. No dia 4 de novembro desse ano, aconteceu algo que já havia sido profetizado por esse instrumento, com uma precisão que excedia a possibilidade de coincidência. O acontecimento foi o assassinato de Yitzhak Rabin, primeiro-ministro de Israel, na cidade de Tel-Aviv. O fato havia sido profetizado com tanta exatidão que o nome do primeiro-ministro, a data do evento, o nome da cidade e até mesmo o nome do assassino não eram segredo: tudo isso havia sido codificado num documento de mais de 3 mil anos!

A ironia era o fato de que não se tratava de um manuscrito raro mantido em segredo por alguma organização ou pessoa privilegiada. O mapa codificado do nosso futuro era o mesmo que tem oferecido conforto e orientação, por pelo menos 75 gerações, e hoje é considerado sagrado por algumas centenas de milhões de pessoas em todo o mundo. O mapa do tempo foi descoberto como um código oculto criptografado na Bíblia, desde os tempos de sua origem! O código encontra-se, especificamente, nos primeiros cinco livros da Bíblia hebraica, conhecido como Torá, uma versão supostamente inalterada desde que foi entregue ao homem, há mais de 3 mil anos.

Descoberta por um matemático israelense, o dr. Eliyahu Rips, essa chave, conhecida como Código da Bíblia, foi revista e referendada por matemáticos de universidades importantes, em todo o mundo, bem como de órgãos públicos especializados em criptografia, como o Departamento de Defesa dos Estados Unidos. Por mais de duzentos anos, os pesquisadores suspeitaram que os textos bíblicos eram mais do que uma coleção de palavras a serem lidas de modo estritamente linear. Um erudito do século XVIII, conhecido como o Gênio de Vilna, afirmou que: "A regra é que tudo o que foi, é e será até o fim dos tempos, está incluído na Torá, desde a primeira até a última palavra. E não apenas num sentido genérico, mas até mesmo os pormenores de tudo o que nos aconteceu desde o dia de nosso nascimento até o nosso fim."[30]

As mensagens cifradas do nosso passado e futuro podem ser estudadas criando-se uma matriz para as letras dos primeiros cinco livros da Bíblia hebraica. A partir da primeira letra da primeira palavra, todos os espaços e sinais de pontuação são removidos, até que se chegue à última letra da última palavra O resultado será uma sentença única, com centenas de caracteres de comprimento. Por meio de sofisticados programas de busca, a matriz remanescente é examinada em busca de padrões coincidentes e intersecção de palavras. No Livro de Gênesis, por exemplo, a palavra *Torá* é transcrita letra por letra, sendo que entre cada uma dessas letras há uma seqüência de cinqüenta caracteres hebraicos. A mesma seqüência é encontrada nos livros seguintes: Êxodo, Levítico, Números e Deuteronômio. A observação dessa seqüência feita pelo Rabi H. M. D. Weissmandel na década de 1940, tornou-se a chave para decifrar os padrões de palavras codificados no texto.

Em seu livro, o *Código da Bíblia*,* Michael Drosnin descreve a precisão e acurácia com que esse código predisse acontecimentos passados. Circunstâncias tão variadas quanto o assassinato dos Kennedy, o impacto do

---
* Publicado pela Editora Cultrix em 1997.

cometa Shoemaker-Levy com Júpiter, a eleição do primeiro-ministro israelense Netanyahu, e mesmo as datas e locais dos ataques com mísseis SCUD, que os iraquianos lançaram contra Israel na guerra do Golfo de 1990, são descritos com tantos pormenores que desafiam as probabilidades matemáticas e estatísticas. O Código da Bíblia oferece dados específicos e não apenas generalidades abertas à interpretação. Drosnin descreve com minúcias muitas dessas referências. Ao predizer a Segunda Grande Guerra, por exemplo, o código soletra palavras como "guerra mundial" e "solução final", acompanhadas pelo nome dos líderes da época: "Roosevelt", "Churchill", "Stálin" e "Hitler". Os países envolvidos no conflito são claramente apontados: "Alemanha", "Inglaterra", "França", "Rússia", "Japão" e "Estados Unidos". Mesmo as palavras "holocausto nuclear" e "1945", ano em que a bomba nuclear foi detonada sobre Hiroshima, são revelados, na única vez em que essas palavras aparecem na Bíblia.

Com o desenvolvimento dos computadores de alta velocidade, o código embutido na Bíblia hebraica finalmente foi decifrado. Os novos computadores substituem a tediosa decodificação manual por sofisticados programas de busca. Comparado com grupos de controle trabalhando em outros textos e dez milhões de casos criados pelo computador, apenas a Bíblia continha esses quebra-cabeças codificados. Nos sentidos vertical, horizontal e diagonal, nomes de países, acontecimentos, datas, épocas e pessoas se entrecruzam, oferecendo um instantâneo dos acontecimentos do passado e das possibilidades para o futuro. O mecanismo exato desse previsor tão extraordinário será discutido no capítulo 7, mas talvez o mais relevante para a questão da profecia seja o modo como esse aparentemente miraculoso livro do tempo se relaciona com o nosso futuro.

À luz da precisão do Código da Bíblia quanto às minúcias do passado, qual a exatidão que a mesma matriz poderia mostrar para os fatos do futuro? Em suas conversas com Drosnin, o dr. Rips admite acreditar que todo o Código da Bíblia tenha sido escrito de uma só vez, num único ato, e não numa série de textos criados ao longo do tempo. Essa declaração infere que todas as possibilidades, para todos os futuros, já estão registradas. "Nós vemos isso como vemos um holograma — ela parece diferente quando olhamos sob um novo ângulo, mas a imagem, é claro, já estava previamente gravada."[31] O segredo para aplicar esse antigo código do tempo aos acontecimentos do nosso futuro pode estar em vê-lo através dos olhos de um físico quântico.

Na Física moderna, há um princípio que afirma ser impossível saber o "tempo" de alguma coisa e o "lugar" dessa mesma coisa, ao mesmo tempo. Se calcularmos *onde* alguma coisa está, perdemos as informações sobre a sua velocidade. Se medirmos a sua velocidade, não poderemos saber com certeza *onde* isso está. A chave para o mundo quântico foi desenvolvida pelo físico Werner Heisenberg e é conhecida como Princípio da incerteza de Heisenberg.[32]

Demonstrando o comportamento imprevisível da natureza no mundo quântico, pode ser que o nosso senso de tempo siga precisamente esse tipo de comportamento. Se for assim, as possibilidades retratadas no Código da Bíblia podem existir justamente dessa forma: como *possibilidades*. Os acontecimentos indicados, passados e futuros, são o resultado final de uma seqüência de condições que podem ter começado dias, ou até mesmo centenas de anos, antes que o acontecimento real se desse. Formulado como uma equação moderna, *se* optarmos por um determinado curso de acontecimentos, *então* poderemos esperar determinados resultados.

Se considerarmos qualquer instrumento de previsão como uma lente que examina possibilidades, lançamos uma nova luz sobre o papel da profecia na nossa vida. Coincidindo com muitas profecias bíblicas, dos nativos americanos e outros, o Código da Bíblia nos alerta para uma série de cenários apocalípticos. Começando com o futuro próximo, ocorrências como uma terceira guerra originada no Oriente Médio, terremotos catastróficos e a devastação de grandes centros populacionais, tudo isso aparece como possibilidades. A ameaça de uma colisão direta com um cometa no final do século XX ou no início do XXI, parece ser uma das preocupações mais imediatas.

Em 1992, o astrônomo Brian Marsden, do Harvard-Smithsonian Center for Astrophysics, anunciou o retorno do cometa Swift-Tuttle, originalmente descoberto em 1858. O dia exato da redescoberta do cometa estava criptografado no Código da Bíblia, juntamente com a sua volta, prevista para 134 anos depois. As palavras exatas "cometa", "Swift-Tuttle" e o ano de sua volta, 2126, aparecem claramente codificadas no texto. Inicialmente, pensava-se numa rota de colisão com a Terra na época de sua volta, mas novos cálculos indicam que o cometa passará a uma distância segura. Os astrônomos alertam, no entanto, para uma série de "quase encontros" na época do Swift-Tuttle, em 2126, sendo que a primeira ocorrerá em 2006. Cruzando a data de 2006, no texto hebraico, estão as palavras: "Sua trajetória atingiu suas moradas", acompanhadas pela frase numa linha associada: "Ano predito para o mundo."

Depois desse alerta, palavras semelhantes levam ao ano de 2010. As palavras "dias de horror" cruzam essa data, com descrições adicionais de "trevas", "tristeza" e "cometa". Talvez a seqüência de palavras mais perturbadora em relação ao nosso futuro se refira ao ano de 2012. É aí, coincidentemente no mesmo ano em que o calendário maia termina, que lemos as palavras "Terra aniquilada". Essa visão de uma antiga possibilidade para o nosso futuro é um exemplo intrigante de um elemento encontrado em todo o Código da Bíblia. Drosnin afirma que, no lugar em que a data está codificada, uma segunda passagem descreve um resultado totalmente diferente. As palavras são, simplesmente: "Ele será fragmentado, afastado, eu o despedaçarei, 5772."[33] (Ano hebraico correspondente a 2012.)

Da mesma forma que o tema de outras profecias, por um lado o Código parece estar nos dizendo que o ano de 2012 trará o fim da vida como a conhecemos, mas, ao mesmo tempo, em outro trecho, a ameaça à Terra é descartada. Como podem os dois resultados serem possíveis ao mesmo tempo? Paradoxos semelhantes surgem de tempos em tempos ao longo do Código da Bíblia, principalmente quanto ao resultado de eleições, acontecimentos políticos e guerras. Além de nos dar a oportunidade de moldar finais específicos para o nosso futuro, com base nas escolhas do presente, talvez o Código da Bíblia nos esteja chamando a atenção para alguma coisa ainda mais significativa.

Muito próximas aos resultados determinados, como assassinatos e as sementes de uma guerra global, algumas palavras são recorrentes. Acompanhando muitos desses finais, as palavras apresentam uma pergunta simples: "*Vós mudareis isso?*" Reminiscência das crenças preservadas dos antigos essênios, o Código da Bíblia também parece insinuar que temos um papel significativo a cumprir no resultado dos acontecimentos, mesmo dos acontecimentos que já estão em curso como possibilidades. Aparentemente, a nossa atuação é tão importante que podemos de fato mudar o curso dos eventos! "Vós mudareis isso?" é uma pergunta direta para aqueles que certamente poderiam ler a mensagem codificada, 3 mil anos depois de escrita. É como se os autores soubessem que seria necessário uma tecnologia altamente sofisticada para entender o código; como se estivéssemos sendo lembrados de que agora, quando deciframos a mensagem, já estamos prontos para participar dos desdobramentos do tempo e alterar as mais sombrias possibilidades do futuro. Como esses pormenores de um manuscrito codificado há três milênios podem aparecer agora? O Código da Bíblia nos traz de volta as mesmas questões das outras profecias.

Uma nova profecia

Nos inúmeros cálculos e profecias indígenas com relação à nossa época, o ano de 1998 parece ser o início de uma janela de tempo na qual poderemos testemunhar as maiores mudanças sobre a face da Terra. Os próprios profetas parecem questionar qual o lugar preciso, dentro dessa janela, em que estamos situados. Edgar Cayce, por exemplo, considerava 1998 como o *último ano* de um ciclo de quatro décadas, para o qual pode-se esperar o início de uma "extraordinária transformação planetária". Nostradamus, por outro lado, situa em 1998 *o início* de um ciclo de mudanças cataclísmicas que, segundo ele previu, durará mais de trezentos anos. Sem levar em conta a discrepância das datas exatas, as profecias para a nossa época revelam, quase unanimemente, um tema comum. Elas apontam para o nascimento de um novo milênio, numa era em que veremos grandes mudanças na Terra e no nosso corpo.

Além das previsões para o nosso possível futuro, os antigos videntes nos falam de um grande mistério, que é particularmente fascinante à luz da sofisticação dos calendários e da precisão dos sistemas de contagem do tempo. Por mais exatas que sejam as tradições orais, escritas e proféticas, *todas elas deixam de revelar exatamente como terminará esse grande ciclo e como será o início do novo*. Além de delinear possibilidades para o futuro, aqueles que nos precederam reconhecem uma força muito poderosa que poderá escolher a possibilidade que iremos viver. Bastante negligenciada nos últimos tempos, essa força é o poder da escolha coletiva, como a ciência da oração em massa.

Na linguagem de sua época, os antigos profetas indicam que temos a capacidade de evitar as visões de destruição, escolhendo conscientemente no presente o caminho a ser percorrido. Parece que as tradições daqueles que viveram antes de nós estavam certas sobre a relação entre as ações dos indivíduos e o resultado das profecias. Essa ligação entre a rotina diária e a realização das profecias permaneceu oculta até o século XX. É agora, em nossa época, com a formulação de uma nova física, que as possibilidades de tempo, profecia, milagres e o papel que representamos no futuro da humanidade se tornam mais claros. Sabemos hoje que as predições só proporcionam possibilidades isoladas. Sabemos também que escolhemos as nossas possibilidades em cada momento da vida.

O tempo não é o que parece ser.
Ele não flui numa única direção,
e o futuro existe em simultaneidade
com o passado.

– ALBERT EINSTEIN

ONDAS, RIOS E ESTRADAS

A Física do Tempo e a Profecia

No limiar de um novo milênio, surgiram duas linhas de pensamento quanto ao significado deste raro momento da História. Há os que acreditam que estamos em perigo, vivendo numa época de incertezas, e ocupam-se dos preparativos para a sobrevivência física nos dias que pensam ser o "fim dos tempos". Apoiando suas crenças em antigas profecias, nos males da sociedade e na possibilidade de desastres mundiais, para essas pessoas toda notícia de conflitos globais, de novas doenças ou do colapso iminente da economia dos países é considerada uma prova de que essas crenças são válidas. Ao mesmo tempo, outras pessoas, *citando as mesmas evidências*, enxergam um panorama bastante diferente.

Testemunhando as mesmas doenças, conflitos militares e os paroxismos da natureza, e citando as mesmas profecias, aqueles que acreditam nesse segundo ponto de vista sentem que está ocorrendo um estranho fenômeno, um elemento integral que representa uma mudança igualmente rara na humanidade. Em resumo, essa visão sugere que estamos entrando numa era de alegria, de paz e de cooperação, sem precedentes entre os povos e as nações do mundo. Como é possível que interpretações das mesmas evidências produzam pontos de vista tão diferentes e variados? Talvez o mais importante seja saber se o nosso futuro já está selado, como produto de um antigo plano, ou se existe uma ciência que nos permita escolher que futuro será esse.

O tempo e a vontade do grupo

Rapidamente procurei, sob o assento, minha bolsa e meus pertences. Pude sentir o odor inconfundível de óleo de freio queimado quando o motorista estacionou o ônibus de turismo em que nos encontrávamos. Durante as duas últimas horas, aproximadamente, tínhamos sacolejado numa estrada tortuosa pelas montanhas, que em alguns pontos parecia pouco mais do que uma trilha de jipe. Por causa dos deslizamentos de terra, das tempestades de areia e da precária manutenção do ônibus, a estrada, em muitas passagens, estreitava-se a ponto de restar pouco menos de uma pista para passar. Nosso motorista demonstrava muita perícia ao ultrapassar os pontos mais difíceis, buscando atalhos e levando-nos de volta à segurança da estrada principal. Quando descíamos da aldeia de Santa Catarina, 1.300 metros acima do deserto do Egito, eu soube que o próximo posto de fiscalização da estrada ficava quase no nível do mar.

O motor, um banheiro e um compartimento de bagagens ficavam no lugar da janela traseira do ônibus. Olhando por uma das janelas laterais, espiei pelo grande espelho retrovisor para ver o que se passava atrás do ônibus. Um caminhão militar, que nos escoltava pelas montanhas, continuava atrás de nós a uma distância de dois carros. Ao olhar sobre a cabeça do motorista do ônibus, pude perceber que um veículo de escolta, semelhante ao que se encontrava atrás de nós, passava pelo outro lado da estrada, próximo a um posto da guarda de concreto. O caminhão camuflado era um carregador de tropa, cuja carroceria era coberta por um tecido grosso, cor de areia, esticado por uma série de cordas amarradas na parte de baixo do veículo. Lembro-me de ter pensado nas semelhanças entre os caminhões militares no deserto do Egito e as carroças cobertas das caravanas dos pioneiros norte-americanos, que eu vira nos museus quando era criança.

A luz da manhã que despontava por detrás das montanhas, subitamente trouxe esses caminhões de volta à realidade. Sob os primeiros raios do sol do deserto, pude ver as faces dos soldados, jovens egípcios que nos espiavam de seus bancos sob o encerado. Com talvez uns cinco homens sentados em cada lado da carroceria do caminhão, sua tarefa era nos escoltar com segurança pelo deserto do Sinai até a populosa cidade do Cairo. Quase com a mesma velocidade com que o clima muda por ali, a situação política mudou inesperadamente durante a nossa permanência nas montanhas. Então, enquanto voltávamos para o hotel, um sistema de fiscalização foi estabelecido para nossa segurança e para saber sempre onde nos encontraríamos. Eu sabia que não demoraria muito até que um soldado entrasse no ônibus, conferisse nossos documentos e nos deixasse seguir viagem.

Deixando o primeiro de uma série de postos de fiscalização, logo nos vimos rodando por uma estrada sinuosa ao longo das praias brancas e brilhantes do mar Vermelho, em direção ao canal de Suez. Fechei os olhos e imaginei a mesma cena se passando há 3 mil anos, uma vez que o povo egípcio viajava por uma rota semelhante ao se dirigir para as montanhas das quais retornávamos nesse momento. Com exceção dos meios de transporte e das estradas, o que de fato mudara? No calor do sol do final da manhã, eu conversava com alguns membros de nosso grupo, antecipando nossa entrada nas antigas câmaras da Grande Pirâmide, à tarde.

De repente levantei os olhos, no instante em que o ônibus parava no acostamento de uma avenida arborizada. Do lugar onde me encontrava, na parte da frente do ônibus, olhei pela janela, procurando pontos de referência pelos quais pudesse me orientar. À nossa esquerda havia uma vista familiar, que eu já vira muitas vezes em revistas e também pessoalmente. Para confirmar nossa localização, olhei para a direita. Havíamos parado em frente a um monumento que é um dos símbolos mais significativos para todos os egípcios, talvez ainda mais significativo do que as próprias pirâmides: o túmulo do ex-presidente do Egito, Anuar el-Sadat.

Quando fui para a frente do ônibus, pude ver a escolta que nos acompanhava. Os soldados haviam deixado o seu abrigo e agitavam-se na frente do ônibus junto com o motorista. Ao saltar do último degrau para a rua, notei algo estranho. A escolta, o nosso motorista e o guia egípcio, Mohammed, todos estavam admirados. Alguns sacudiam o relógio. Outros conversavam entre si, em rápidas rajadas de egípcio.

— O que está acontecendo? — perguntei ao nosso guia. — Por que paramos aqui e não no hotel, que deve ficar ainda a uma hora daqui?

Mohammed olhou-me estupefato:

— Alguma coisa não está certa! — disse ele, com uma rara intensidade na voz, normalmente brincalhona. — Ainda não deveríamos estar aqui!

— O que você está dizendo? — perguntei. — É aqui mesmo que deveríamos estar, no caminho para o nosso hotel em Gizé.

— Não! — disse ele. — O senhor não entendeu. Nós *não poderíamos* estar aqui. Não haveria tempo suficiente para partir de Santa Catarina e chegar ao Cairo! Levaríamos pelo menos sete horas para fazer o percurso do canal de Suez, através do deserto e pelas montanhas. *Pelo menos sete horas.* Com as paradas para inspeção, *deveria levar ainda mais tempo.* Olhe para os guardas. Eles não acreditam no que estão vendo! Passaram-se apenas quatro horas. É um milagre estarmos aqui!

Observando os homens à minha frente, um sentimento estranho tomou conta de mim. Eu já havia passado por experiências parecidas sozinho, mas nunca em grupo. Observando os limites de velocidade, com as paradas adicionais nos postos de inspeção, como poderíamos ter diminuído o tempo quase pela metade?

Embora a distância do monte Sinai ao Cairo fosse a mesma, o que havia mudado era a nossa experiência de tempo enquanto a percorríamos.

Estava tudo registrado nos relógios dos militares, dos guardas armados e dos passageiros do ônibus! Era como se as nossas lembranças do dia, na presença uns dos outros, tivessem sido, de alguma forma, comprimidas numa fração do tempo previsto. O que acontecera com o resto do tempo? É claro que não percebêramos o fenômeno enquanto este ocorria. A questão é: o que havia acontecido, e por quê?

Talvez aqui possamos achar a pista. Inocentemente, ao anteciparmos a experiência que teríamos dentro das pirâmides e falar dela como se já estivéssemos dentro das antigas câmaras, nossa consciência desviou-se do ponto do tempo que levaríamos para chegar até lá para o ponto do como seria se *já estivéssemos lá*.

Milagre sem remédios

As luzes já estavam diminuindo quando nos aproximamos das cadeiras no fundo da sala. Como chegamos atrasados, minha esposa e eu quase não encontramos dois lugares juntos. Voltadas para uma mesa posta do outro lado do salão de baile, as cadeiras de aço pareciam ter sido arrumadas aleatoriamente pelos funcionários do hotel. Logo depois de nos termos sentado, a aula começou com as formalidades e apresentações de praxe.

Quando estudava numa clínica especializada nos arredores de Pequim, nosso instrutor documentou em vídeo os efeitos de uma antiga arte de cura baseada em técnicas de movimentos, respiração, pensamentos e sentimentos. Ele estava nos preparando para o que iríamos ver. O vídeo revelaria um fenômeno das tradições asiáticas que a ciência ocidental não pode explicar. Experiências anômalas desse tipo em geral são classificadas como milagres. Para as pessoas que se dirigiam a essa clínica, encarando-a como um último recurso, a escolha do amor, dos movimentos especializados e do desenvolvimento da força vital (*ch'i*) em lugar de remédios e cirurgias eram a resposta às suas preces.

No mesmo instante em que as luzes se apagaram, o aparelho de TV perto do instrutor se acendeu. Minha mulher e eu nos inclinamos para a frente para poder enxergar melhor. O filme a que estávamos assistindo havia sido gravado na Clínica e Centro de Tratamento Huaxia Zhineng Qigong, o "hospital sem remédios", na cidade de Qinhuangdao, na China. O vídeo começou mostrando uma mulher deitada de costas, num quarto de hospital. Ela parecia estar completamente desperta e consciente, sem mostra de ter sido anestesiada, nem indicações de que a anestesia lhe seria aplicada em seguida. A paciente usava roupas soltas, arranjadas de modo a expor a parte inferior do abdômen. A barriga dela brilhava sob as luzes da câmara e do quarto, untada com um gel de aparência lustrosa e úmida. Sentada à direita da paciente, uma enfermeira passava um bastão de ultra-som sobre a superfície macia e distendida do estômago da mulher.

Logo atrás da paciente, estavam três profissionais, do sexo masculino. Usando jalecos brancos, eles pareciam muito concentrados, postados em silêncio perto dela. Um dos homens começou a movimentar as mãos no ar, silenciosamente, acima do rosto e do peito da paciente.

Em seguida, o vídeo mostrou uma imagem de ultra-som, permitindo que víssemos a bexiga da mulher durante o procedimento. Os contornos e a curvatura eram bem claros. Na imagem começou a aparecer outra coisa, algo que não deveria estar ali.

— Vocês estão vendo um câncer de bexiga — explicou o instrutor —, um tumor de sete a oito centímetros, aproximadamente, dentro da bexiga da mulher.

Nós estávamos vendo o tumor como ele realmente parecia no momento, captado pelo bastão do ultra-som. A câmara ampliou a imagem na tela, enquanto testemunhávamos um acontecimento para o qual a ciência ocidental não tem explicações. Prevendo o que iria acontecer, a sala ficou em silêncio. Até mesmo o rangido das cadeiras cessou enquanto o grupo observava, reverente, o milagre que se desenrolava aos nossos olhos.

Enquanto a enfermeira continuava a monitorar o acontecimento por meio do ultra-som, os três homens em pé atrás da paciente trabalhavam juntos. Em uníssono, eles tomavam parte numa forma de cura conhecida há séculos. O único som a revelar o processo vinha dos próprios homens. Eles repetiam sempre a mesma palavra, que se tornava mais alta e mais forte à medida que o tratamento progredia. Numa tradução livre, o que eles diziam era "já se foi", "já está consumado".

A mudança começou devagar, quase imperceptivelmente. A forma carcinomatosa começou a tremer, como que reagindo a uma força invisível. À medida que o movimento continuava, com o restante da imagem perfeitamente focalizada, toda a massa começou a desaparecer. Dentro de segundos, o tumor parecia derreter-se à nossa vista. Em apenas dois minutos e quarenta segundos, o tumor se foi. Ele simplesmente desapareceu! Havia ocorrido uma cura, tão completa que o ultra-som nem mesmo indicava cicatrizes no tecido que havia sido invadido pelo tumor. Quando a câmara se afastou da tela do computador, a paciente, ainda acordada e consciente, parecia aliviada com o que ouvia. A enfermeira e os três homens conferenciavam entre si e, depois, acenaram concordando; o processo havia sido bem-sucedido. Polidamente, todos se curvaram e bateram palmas suavemente, reconhecendo o seu feito.

A princípio a sala de conferências ficou em silêncio. Depois ouviam-se suspiros, exclamações e aplausos pelo que havíamos testemunhado. O que acabara de acontecer? Como um tumor cancerígeno, de cerca de oito centímetros, desapareceu de dentro do corpo de uma mulher sem nem mesmo deixar cicatrizes, em questão de minutos? Por que a ciência ocidental não tem um mecanismo para explicar um acontecimento desses?

As histórias relatadas são importantes por dois motivos. Primeiro, porque cada uma delas ilustra uma experiência vivida por um grupo e não por uma pessoa apenas. Qualquer que tenha sido o fenômeno ocorrido com a nossa percepção do tempo naquele dia no deserto do Sinai, no Egito, havia ocorrido a muitas pessoas, de diversas origens, crenças e convicções religiosas. Havia guardas muçulmanos e cristãos, bem como viajantes muçulmanos, budistas, judeus e cristãos no grupo que atravessava a península do Sinai. Cada um de nós tinha suas próprias crenças sobre a relação pessoal com o mundo e razões próprias para estar no deserto naquela manhã. Da mesma forma, o desaparecimento do câncer foi testemunhado por quatro pessoas na presença da portadora do tumor. Ademais, o fato foi registrado pelo cinegrafista, aumentando para cinco o número de pessoas presentes. Essa também foi uma experiência em grupo.

A perspectiva de estar no Cairo, dentro da Grande Pirâmide, por quatro horas de acesso privado, era o tema dominante entre nós que estávamos no ônibus. Para muitos de nossos amigos, era a realização de um sonho de infância, que se realizava depois de muito trabalho e meses de planejamento. A chave para esse episódio e para a cura do câncer naquela mulher é que a atenção do grupo estava concentrada no *sentimento do resultado* e não no *sentimento do tempo que transcorreria* para que o resultado ocorresse. É uma diferença sutil mas importante, que terá ainda mais relevância em discussões posteriores.

A segunda razão pela qual relatei essas duas histórias é que os acontecimentos de ambas não podem ser explicados pela ciência ocidental. Como justificar uma ocorrência que testemunhamos pessoalmente, como uma compressão do tempo ou uma cura física instantânea, na ausência de um sistema de crenças que admita tais fatos? Talvez possamos responder a essas perguntas investigando a natureza do tempo aos olhos de nossos ancestrais e da ciência moderna.

O mistério do tempo

Desde que a humanidade começou a registrar suas experiências neste mundo, o tempo nos intriga. O único método para investigar a qualidade misteriosa daquilo que conhecemos como tempo é especular sobre a sua natureza. Sem a possibilidade de captar, fotografar ou gravar o próprio tempo, o que nos restam são medições relativas de acontecimentos que ocorrem *dentro* dele. Essas medições em geral são descritas como "agora" e "então" ou "antes" e "depois" do acontecimento. As tradições indígenas algumas vezes comparam o tempo com um rio, que flui numa única direção, com as experiências humanas de certa forma inextricavelmente ligadas à ação do fluxo. Outras tradições consideram o tempo como uma estrada, transcendendo as membranas do espaço, e que pode ser percorrida em duas direções. Essa perspectiva sugere que o tempo se origina em algum lugar e termina em outro, permitindo que viajemos e tenhamos experiências nos pontos intermediários.

Independentemente de como vemos o espaço entre o "então" e o "agora", o tempo tornou-se um fator dominante no modo de encararmos a vida. Os dias, para nós, consistem em preparações para o futuro, enquanto planejamos os acontecimentos do próximo minuto, do próximo dia e do ano seguinte. De fatos aparentemente insignificantes, como onde almoçaremos daqui a vinte minutos, até marcos monumentais como o encontro no espaço de duas naves de duas nações diferentes, o tempo é a linha comum que nos liga por meio da sincronização das experiências no mundo.

Em vista das profecias de possibilidades futuras, a nossa compreensão de tempo pode ser hoje mais significativa do que em qualquer outro período da História. *Existe, numa antiga escola de pensamento, uma crença que tem persistido pelo menos por 5 mil anos: a de que o tempo e os acontecimentos do nosso futuro não apenas estão inseparavelmente relacionados, como também são consistentes e reconhecíveis.* Ademais, essa linha de raciocínio indica que os acontecimentos catastróficos de uma profecia, aqueles com potencial para ameaçar até mesmo a existência de nossa espécie, podem ser conhecidos e evitados ou, pelo menos, previstos a tempo de nos prepararmos para eles.

Um novo conjunto de pesquisas, realizado por físicos e matemáticos da atualidade, dá credibilidade a essa linha de pensamento. Uma coisa parece certa: para se entender a profecia como acontecimentos que ocorrem dentro do tempo, primeiramente é preciso conhecer a própria natureza do tempo.

A ciência conflitante

Estranhamente, uma grande parte da ciência que zomba dos milagres e das profecias, ainda não chegou a um acordo sobre a natureza fundamental do nosso mundo. Embora a tecnologia de que dispomos tenha colocado sensores mecanizados na superfície de outros mundos e ampliado nossas sensações até os limites do universo conhecido, ainda não estamos certos de quem surgiu antes de nós e nem mesmo da idade da Terra.

Durante quase cem anos, por exemplo, a física lutou para definir quais as forças responsáveis pelos acontecimentos do mundo cotidiano — as mesmas forças que alteraram a aparência do tumor daquela paciente e comprimiram a sensação do tempo na nossa viagem pelo Egito. Acredita-se que, uma vez descoberto, o mecanismo responsável por esses fatos da vida diária também explicará todos os mecanismos do cosmo. Dividida em dois campos de pensamento principais, as teorias da física clássica e da física quântica oferecem o pano de fundo para essas duas possibilidades.

A física clássica é o conjunto de leis que foram usadas para explicar o mundo até aproximadamente 1920. As leis do movimento de Isaac Newton, as teorias de Maxwell sobre eletricidade e magnetismo e a teoria da relatividade de Einstein, por exemplo, conseguiram justificar adequadamente a observação dos acontecimentos cotidianos até essa época. Mas, ao desenvolver novas tecnologias, os cientistas puderam enxergar além dos fatos do dia-a-dia e viram ali expressões da natureza que não podiam ser explicadas pela física clássica. Uma física modificada, que poderia justificar os novos fenômenos observados, começou a surgir do mundo das partículas subatômicas e das galáxias distantes. Ao propor teorias de ficção científica sobre viagens no tempo e universos paralelos, a matemática dessas possibilidades tornou-se a ciência da física quântica.

Em alguns casos, as duas escolas de pensamento se opunham. Um dos pontos básicos de controvérsia questionava se as experiências do nosso mundo eram produzidas por uma seqüência predeterminada de acontecimentos que pode ser conhecida, ou se o acaso seria inerente ao processo da vida. Em outras palavras, se pudéssemos identificar todos os acontecimentos que culminam num determinado momento, teríamos as informações necessárias para predizer o resultado desse momento, ou existiria algum outro agente que não poderia ser levado em conta nesse conhecimento? Falando em relação ao presente, pode um acontecimento já em curso ser modificado sem qualquer motivo físico, sem que uma força aparente esteja atuando sobre ele?

A idéia de que um resultado qualquer só possa ocorrer devido a acontecimentos anteriores chama-se *determinismo*. Atribuído ao filósofo alemão Gottfried Leibniz, o determinismo afirma que tudo que é testemunhado ou vivido no nosso mundo, a despeito da aparência casual, deve-se aos acontecimentos precedentes. A teoria pode ser melhor descrita pelas palavras do próprio Leibnitz: "Nada acontece sem uma razão suficiente; ou seja, se tivermos os conhecimentos necessários, podemos sempre explicar por que alguma coisa sucede de uma determinada maneira."[1]

Recentemente, o pensamento determinista foi ainda mais esclarecido por cientista renomados como Jacques Monod, vencedor do Prêmio Nobel de Biologia em 1965. Monod descreve seu ponto de vista ao afirmar que "qualquer coisa pode ser reduzida a interações simples, óbvias e mecânicas".[2] Do ponto de vista do determinismo, a cura aparente do tumor canceroso teria ocorrido como resultado dos acontecimentos que culminaram no momento da cura. Se tivéssemos noção de cada um desses acontecimentos, desapareceria a sensação de milagre, e enxergaríamos a cura como o resultado lógico de uma seqüência conhecida de eventos.

No mundo da mecânica quântica, todavia, algo como a compressão do tempo ou a cura de um tumor proporciona uma perspectiva muito diferente. O agente adicional é identificado como "livre-arbítrio".

Uma nova Física

A chave para a física quântica pode ser encontrada no próprio nome dessa ciência. *Quantum* (plural *quanta*) define-se por "uma quantidade descontínua de radiação eletromagnética". Atualmente os físicos descrevem a criação como não-sólida e não-contínua. A física quântica tem demonstrado que o mundo realmente ocorre em explosões de luz muito curtas e rápidas. Aquilo que acreditamos ver como o giro do bastão de beisebol, por exemplo, em termos quânticos nada mais é do que uma série de acontecimentos isolados que se dão em seqüências muito rápidas e próximas. Do mesmo modo que várias imagens fixas compõem os movimentos de um filme, esses eventos são, na verdade, pequenas pulsações de luz denominadas *quanta*. Os *quanta* do nosso mundo ocorrem tão rapidamente que, embora os nossos olhos sejam capazes de captá-los, a nossa mente não distingue as explosões individuais. Em vez disso, os pulsos são encadeados para formar aquilo que vemos como um acontecimento contínuo, neste caso o giro do bastão. A física quântica é o estudo dessas minúsculas unidades de ondas irradiantes, forças que, por meio de seus movimentos, criam o nosso mundo *físico*, embora elas mesmas não sejam físicas.

Recentemente os cientistas voltaram suas observações para o mundo quântico do átomo além de explicar os mistérios testemunhados nos extremos do cosmo. A idéia é que, se um acontecimento for observado numa pequena escala, o mesmo mecanismo pode ser aplicado para a compreensão dos eventos em escala maior. A física quântica agora admite "milagres" como o desaparecimento daquele tumor ou a experiência de tempo perdido, pela qual passamos, possibilidades antes consideradas impossíveis. Por exemplo, os veículos e o nosso grupo apenas alteraram a nossa percepção do tempo, ou será que ocorreu alguma coisa ainda mais espantosa? É possível que, naquela manhã no deserto do Sinai, tenhamos participado de um acontecimento que desafia os próprios limites da nossa imaginação: a possibilidade de viver múltiplas realidades e pular de um resultado para outro, sem ter a menor idéia de que isso estivesse acontecendo?

Se o tempo, de fato, é como uma estrada que se estende em dois sentidos, é possível que essa estrada tenha várias pistas? *Será que os acontecimentos que começam em uma "pista" do tempo podem chegar a um determinado ponto numa pista diferente, com resultados diferentes?* Podemos processar uma série de acontecimentos e, no meio do caminho, "pular" para um novo resultado? Se assim for, é porque existe a possibilidade de múltiplas conseqüências para algo que já começou a se processar. As implicações desse modo de pensar dão um novo sentimento de esperança às predições de destruição e sofrimento global, e, ao mesmo tempo, induzem-nos a considerar as decisões que tomamos na vida diária como elos diretos com as experiências futuras.

A existência de muitos resultados para um determinado acontecimento foi prevista pelos físicos quânticos há quase oitenta anos. Mais recentemente, cientistas como Fred Alan Wolf e Richard Feynman deram nova relevância a essas considerações esotéricas ao ligar as possibilidades quânticas à vida cotidiana. Entre todas as incertezas de um universo de muitos resultados, duas coisas estão esclarecidas. Primeiro, para que múltiplas conseqüências sejam levadas em conta, subentende-se que *cada possibilidade já tenha sido criada e esteja presente no nosso mundo*. Talvez de uma forma que ainda não reconheçamos, em algum ponto da criação, como uma mistura embriológica do físico e do metafísico, cada resultado aguarda ser chamado para o foco da nossa consciência. Segundo, assim como um resultado dá lugar a outro, por um breve instante *os dois têm de ocupar o mesmo espaço ao mesmo tempo*. Quando um evento é trazido para o foco dos nossos sentidos, pode ser que um outro evento se sobreponha durante uma fração de segundo, que é o tempo para que troquem de lugar.

A física quântica tem um nome para a realidade que ocorre durante o tempo em que dois átomos ocupam o mesmo ponto, no mesmo espaço, ao mesmo tempo. Esse efeito é denominado Estado de condensação Bose-Einstein, em homenagem aos autores da equação que prevê tal ocorrência. *Esses estados condensados foram observados e documentados em condições de laboratório.* Jeffrey Satinover relata que as condições Bose-Einstein ocorreram com "estados condensados de até 16 milhões de átomos de berílio" formados em laboratório no final dos anos 90.[3] Além disso, Satinover relata que o material criado a partir dos experimentos é "grande o bastante para ser visto a olho nu e já foi fotografado". Embora os eventos pelos quais passamos no deserto do Egito e o vídeo a que assistimos da cura de um câncer pareçam contrários às leis da natureza, eles se enquadram no comportamento previsto pelas leis naturais sugeridas pela física quântica nessas experiências de laboratório.

Talvez a consideração de múltiplas possibilidades nos obrigue a refletir sobre um dos grandes mistérios das ciências da criação: por que boa parte do universo parece estar "faltando"? Supercomputadores, que foram usados para rastrear os passos da criação até o *Big-Bang*, no princípio dos tempos, logo registraram um estranho fenômeno. Pouco depois do instante em que os cientistas acreditam que o nosso universo tenha nascido, aproximadamente 90% dele desapareceu, restando apenas 10%[4]. Ao mesmo tempo, pesquisadores em ciências biológicas pedem-nos para considerar um segundo mistério. Estudos do cérebro humano indicam que, para um determinado indivíduo apenas uma fração do seu cérebro é usada, aproximadamente 10%. O funcionamento dos outros 90% não é registrado e, acredita-se, esteja latente. Certamente existem teorias como as dos "múltiplos circuitos biológicos redundantes", e a de um estádio evolutivo a ser atingido quando nosso cérebro for utilizado mais completamente. Ainda não se explicam, contudo, as estimativas numéricas. Apenas 10% do cérebro humano é utilizado, e apenas 10% da massa do universo pode ser observada. Onde estão os outros 90% da criação, e qual é o propósito dos 90% do nosso cérebro que permanecem sem utilização? É por acaso que esses percentuais sejam tão semelhantes? O que os modelos produzidos pelo computador e os biólogos nos mostram, ou deixam de nos mostrar?

Nem os modelos nem os cientistas da vida do passado são levados em consideração quanto a essa dinâmica da criação que é mais fundamental e provavelmente menos entendida: o componente da *dimensionalidade*. De acordo com a visão que temos da criação, visão essa que está sempre mudando, muitos cientistas acreditam hoje que tudo aquilo que conhecemos como nosso mundo é, no final das contas, feito da mesma substância: ínfimos pacotes de luz (*quanta*) que vibram em diferentes velocidades. Certas formas de luz, em alguns momentos, vibram tão devagar que se assemelham a rochas e minerais. Outras formas vibram mais rapidamente e se assemelham à matéria viva: plantas, animais e pessoas. E outras, ainda mais rapidamente, como os sinais de rádio e televisão. Em última análise, cada uma delas pode ser reduzida a uma qualidade de luz vibrante.

As observações dos físicos e dos biólogos erram em não levar em consideração os parâmetros da dimensionalidade — eventos que ocorrem em taxas vibracionais tão elevadas que parecem estar além da nossa percepção física. Novas pesquisas indicam que neste mundo não há apenas as vibrações registradas nos gráficos convencionais de ondas cósmicas, que vibram a mais de 10^{22} ciclos por segundo. Os cosmólogos suspeitam hoje de que, pouco após o momento da criação, o universo começou a se expandir tão rapidamente que sua vibração logo deixou de se expressar dentro das leis da tridimensionalidade. De acordo com essa teoria, 90% do universo literalmente vibrava em estádios mais altos de expressão! São esses 90% que talvez representem o lugar onde os universos paralelos da teoria quântica existam.

Dentro e fora do tempo: pontos de escolha

As teorias de Hugh Everett III, cientista pioneiro da Universidade de Princeton, têm sido muito citadas nas discussões sobre possibilidades paralelas. Everett desenvolveu as idéias desses universos paralelos como resposta aos enigmas das realidades quânticas. Em 1957, num artigo intitulado "Relative State Formulation of Quantum Mechanics", Everett chegou a batizar esses momentos nos quais o curso de um acontecimento pode ser alterado de "pontos de escolha".[5] O ponto de escolha ocorre quando as condições parecem criar um caminho entre o atual curso dos acontecimentos e um novo, que leva a outros resultados. Esse ponto é como uma ponte pela qual se pode começar a percorrer um caminho e mudar de curso, para chegar ao resultado de um novo caminho.

Desse ângulo, no momento em que os três profissionais e a paciente fizeram a opção de afirmar que o tumor não existia, eles estavam passando, mediante um ponto de escolha, para um novo resultado. Ao mudar o seu sistema de crença, eles foram além de qualquer tentativa de "curar" a expressão física de algo que já havia ocorrido. Em vez disso, eles se dirigiram às origens metafísicas do tumor e assumiram o pensamento, o sentimento e a emoção a partir de um lugar no qual ele jamais existiu. As suas ações tornaram-se o fator que *atraiu* um ponto de escolha, permitindo o salto quântico de um curso de eventos, já em ação, para um novo curso, com um resultado diverso. Os instrumentos que tornaram possível esse pulo podem ser encontrados nas crenças dessas pessoas: os pensamentos, sentimentos e emoções de que a nova realidade já se instaurara. Contrariamente à sugestão de que tais mudanças ocorrem lentamente, no decorrer de longos períodos, a nova possibilidade foi trazida à baila, e a original descartada, em dois minutos e quarenta segundos!

Os pontos de escolha podem ocorrer com mais freqüência do que imaginamos. Ao definirmos os *quanta* como pequenas pulsações de luz que criam a nossa realidade, abrimos a porta para uma incrível possibilidade: uma nova definição de tempo! Assim como os físicos agora acreditam que a matéria seja feita de inúmeras e pequenas explosões em vez de ser um único campo contínuo, os antigos acreditavam que o tempo ocorria de um modo parecido. É durante cada explosão de luz que experimentamos os acontecimentos do nosso mundo. Quanto maior o número de explosões de luz que atrelarmos umas às outras, maior será a duração da nossa experiência. Contrariamente, quanto menos explosões, mais breve será o acontecimento.

Para que ocorra o fim de um pulso de luz antes que o novo pulso comece, deve haver, por definição, um espaço entre os dois. Considerando a nossa experiência na Terra como uma pequena metáfora para a experiência maior do universo ("assim como em cima, é embaixo"), os essênios faziam inferências semelhantes entre a respiração da nossa vida e a respiração do cosmo. No *Evangelho Essênio da Paz**, por exemplo, somos lembrados de que "no momento entre a inspiração e a expiração estão ocultos todos os mistérios".[6] Segundo a filosofia dos essênios, os espaços entre as explosões quânticas podem ser considerados como pequenas expressões da quietude entre cada respiração. É nos espaços intermediários, no silêncio entre as pulsações da criação, que temos a oportunidade de "saltar" de

---

* Publicado pela Editora Pensamento, São Paulo, 1997.

uma possibilidade para a seguinte. É nesse espaço que ocorrem os milagres.

Quando o tempo se arrasta

O inverno de 1977 parecia ter chegado de repente no Missouri. Aceito por uma universidade do norte do Colorado para terminar minha graduação em Geologia, eu não previra a quantidade enorme de tarefas burocráticas que preencheriam os dias anteriores à minha partida para lá. Talvez seja por isso que um acontecimento ficou gravado, destacando-se dos demais, naqueles dias corridos de preparação.

Na semana anterior ao início das aulas, testemunhei três acidentes de carro nas redondezas da minha casa. Embora eu não estivesse diretamente envolvido em nenhum deles, em todos os casos fui o primeiro a chegar ao local. Eu podia enxergar o que estava para acontecer e me sentia impotente por não poder evitá-lo.

No terceiro caso, eu estava parado num cruzamento. De repente, vi à minha esquerda um pequeno carro azul acelerando enquanto os outros veículos diminuíam a velocidade para obedecer ao sinal. Olhei para o semáforo e imediatamente soube o que iria acontecer. A motorista do carro estava tentando aproveitar o amarelo. De repente, a luz mudou e vi algo que não tinha visto antes. Outro carro estava na mesma pista, *em sentido contrário*, na direção do carro dessa mulher. Quando o farol ficou vermelho, o carro que esperava no cruzamento começou a andar, exatamente quando o carro azul atravessava velozmente. A cena se desenrolou num instante.

Embora tudo tivesse ocorrido em alguns segundos, a minha experiência do momento foi muito mais longa. Uma estranha mistura de impotência e fascínio tomou conta de mim, enquanto eu observava da segurança do meu próprio veículo. Em câmara lenta, vi os dois carros se tocando e as latarias se moldando uma à outra. A motorista do carro azul levava uma criança no banco traseiro, aparentemente sem cadeirinha ou cinto de segurança. Meu fascínio se transformou em horror quando vi uma criancinha, vestindo uma jaqueta e um gorro de malha, sair voando por cima do banco da frente. Em câmara lenta, a criança se chocou contra o pára-brisa, escorregou pelo painel e despencou sobre o assento. Por alguns segundos, senti o mundo se arrastar. Como um *playback*, avançando quadro a quadro, a cena me parecia muito vívida, lúcida e real.

Muitas pessoas relatam experiências parecidas, sob diversas condições. Estou contando essa experiência por um motivo. Nesses três acidentes, que culminaram com este, foi possível reconhecer um tema recorrente. Ficou bem claro que eu determinei o modo *como* tinha visto cada um dos eventos pela maneira pela qual *senti* aquilo que via. No dia do terceiro acidente, por exemplo, minhas *emoções* de horror fundiram-se aos meus *pensamentos* de fascinação sobre o que ocorria, e diminuíram a velocidade da minha visão. Era como se alguém estivesse me mostrando toda a cena impressa num bloco de cartões, onde cada uma das imagens era ligeiramente diferente da anterior. Em tais casos, quanto mais depressa os cartões são virados, mais rápida parece a ação. O acidente lembrou-me justamente dessa metáfora, com as cartas viradas muito lentamente pelos poderes que as controlavam. Testemunhei esse acidente sob esse efeito retardador e consegui gravar pormenores que, provavelmente, teriam passado despercebidos. Nesse dia, a minha experiência da ciência quântica transcendeu a teoria e as dúvidas, para tornar-se a realidade tangível de poder ver os acontecimentos e também os espaços intermediários.

O efeito borboleta

Por mais estranhas que pareçam as teorias quânticas, elas justificam tão bem observações de experiências subatômicas que ainda não foram superadas quase oito décadas depois de elaboradas. São essas experiências que preparam o caminho para novas considerações acerca do papel que representamos na História e no destino da humanidade. Com base na literatura publicada, é óbvio que os pesquisadores estudaram seriamente a possibilidade de observar o tempo e influir nos resultados. O que podemos fazer com tais observações? Como um conhecimento dessa magnitude pode afetar a nossa vida, dia a dia?

Para dar a essas informações abstratas um papel significativo em nossa vida, temos que ter, pelo menos, uma compreensão conceitual de como funcionam os princípios. Aplicando a nossa nova física ao remoto dom da profecia, temos agora um vocabulário maior para descrever as visões dos antigos videntes e do papel que desempenham em nossa existência. Sem poder contar com essa linguagem e modelos conceituais, tudo o que os profetas conseguiam era vislumbrar o futuro, uma vez que o vocabulário e os conceitos para descrevê-lo não haviam sido inventados ainda.

Talvez a imagem do tempo como uma estrada que se estende em dois sentidos possa ajudar na aplicação dos conceitos de profecia anteriormente sugeridos. Um profeta postado no meio dessa estrada poderia aplicar seus dons proféticos para projetar seus sentidos para a frente ou para trás. Em vez de apenas *olhar* para o horizonte tanto quanto seus olhos podiam enxergar no tempo, as percepções do profeta *verdadeiramente viajavam* pela estrada até outra experiência no espaço e no tempo. Enquanto o corpo de Nostradamus parecia estar sentado em frente à lareira de seu estúdio, no ano de 1532, por exemplo, a percepção do profeta estaria, na verdade, navegando pela estrada do tempo até à realidade de um futuro distante. O segredo para entender uma profecia é que o futuro que está sendo observado é *o resultado lógico das circunstâncias da época profetizada*. Se entre o momento presente e o tempo futuro alguma coisa mudasse, então o resultado da profecia deveria refletir essa mudança.

A física quântica deu origem a um novo e magnífico vocabulário para descrever com precisão essas experiências. Descrições estas que, embora aparentemente nada tenham em comum com a ciência que está sendo discutida, são eloqüentes ao tornar mais palatáveis idéias de difícil compreensão. O "efeito borboleta" é uma dessas imagens. Usado para descrever a relação entre o momento da mudança e o possível resultado que decorrerá mais adiante, o efeito borboleta é oficialmente conhecido como uma *sensível dependência das condições iniciais*. Em suma, pequenas mudanças nas condições iniciais podem levar a grandes modificações numa conseqüência posterior. Da mesma forma que, no passado, idéias complexas eram ilustradas por histórias simples, hoje é utilizada uma parábola para descrever o efeito borboleta:

"Se uma borboleta bater as asas em Tóquio, um mês depois poderá causar um furacão no Brasil."[7]

Para que saibamos o quanto os pensamentos e as ações do momento podem se tornar significativos, o poder do efeito borboleta pode ser vivamente ilustrado como um erro localizado com conseqüências globais. Será possível que um equívoco, aparentemente insignificante, como o fato de o motorista de um dignitário tomar o caminho errado, por exemplo, possa iniciar uma guerra mundial? A História mostrou exatamente isso no início do século XX. O ano era 1914 e o dignitário era o arquiduque Francisco Ferdinando da Áustria. Um documentário sobre a origem da Primeira Grande Guerra registrou: "Um engano no caminho, cometido pelo motorista do arquiduque, colocou o herdeiro do trono da Áustria frente a frente com o seu assassino, Gavrilo Princip." O que teria acontecido se o condutor tivesse entrado em outra rua, ou talvez nem mesmo estivesse dirigindo nesse dia? Embora o assassinato do arquiduque pudesse ter ocorrido em outro momento da História, provavelmente não o seria nesse dia e dessa forma. Talvez se esse engano ocorresse mais tarde, encontraria o mundo num clima político no qual seria considerado exatamente isto, apenas um engano.

Essas considerações nos advertem de que não devemos subestimar o poder do efeito borboleta só por causa da suavidade do seu nome. Examinando as profecias de mil anos atrás, o efeito borboleta poderia explicar por que algumas parecem ter sido cumpridas à risca enquanto outras não se concretizaram. Se imaginarmos que *qualquer mudança* ocorrida durante o prazo da profecia afeta a sua realização, é espantoso que os vislumbres do nosso tempo, tidos há alguns milênios, tenha alguma semelhança com a visão original dos profetas.

Prosseguindo com a analogia da estrada, o que os antigos profetas podem ou não ter sabido, é que, paralelamente a cada estrada do tempo que eles percorriam, existia uma outra estrada, movendo-se ao mesmo tempo e na mesma direção. Ao lado dessa estrada, havia outra e mais outra ao lado desta. Cada uma delas é invisível para quem está nas demais. Cada estrada está coberta por um *revestimento*, cópias sutis dos mesmos lugares, acontecimentos e pessoas, nas mesmas cidades, países e continentes. A diferença entre esses caminhos é que a experiência de cada um muda ligeiramente em relação ao vizinho. Quanto mais se distanciam do profeta que está nele, maiores as diferenças. Para quem está perto, as alterações podem ser tão pequenas que uma estrada do tempo é quase indiscernível em relação a outra. O mais importante é que, por menor que seja, a diferença existe.

Consultando passagens dos profetas nos Manuscritos do mar Morto ou no Código da Bíblia, vemos que, para mudar o cumprimento de qualquer profecia no futuro, temos de alterar a expressão da nossa vida no presente. A física quântica indica que a oportunidade para redefinir os resultados sucede apenas em intervalos específicos, quando as estradas do tempo *mudam o seu percurso* e se aproximam de outros caminhos. Algumas vezes elas se aproximam tanto que chegam a se tocar. Esses pontos de encontro são os pontos de escolha a que nos referimos anteriormente.

À luz das antigas profecias, bem como das atuais, esse conceito de passar de uma estrada para outra em determinados pontos de escolha torna-se a solução para o mistério dos milagres, curas e compressão do tempo. Além disso, essa antiga ciência, agora corroborada pela física moderna, oferece novas esperanças para as predições catastróficas quanto ao nosso futuro. Os acontecimentos previamente descritos no Código da Bíblia para o ano de 2012, por exemplo, estão acompanhados pelas palavras: "Vós mudareis isso?" Num conjunto de possibilidades que começou a se desenrolar há mais de 3 mil anos, a viabilidade de redirecionar um cumprimento potencialmente trágico já era reconhecido então. A expressão "mudareis isso" do Código da Bíblia, as leituras trágicas de Nostradamus, Edgar Cayce e dos profetas anteriores a eles, seguidas pelos cenários aparentemente conflitantes de paz e redenção, são os marcos dos pontos de escolha ao longo da estrada do tempo.

Futuros quânticos dos hopis

Em termos que parecem mais relevantes aos tempos modernos, os hopis relatam visões semelhantes do nosso futuro, com iguais oportunidades para escolher qual resultado desejamos. Conforme vimos rapidamente em outro capítulo, as tradições hopis sobre a paz, vistas pela ótica da compreensão quântica, representam novas possibilidades para a nossa vida atual.

Há muito tempo, os hopis, cujo nome significa "povo de paz", receberam o diagrama de um plano de vida para guiá-los através desses tempos históricos. O projeto, de uma simplicidade eloqüente, consistia de dois caminhos paralelos, possibilidades análogas que representam as opções de vida da humanidade. No começo, os dois caminhos se parecem. Mas o de cima gradualmente se transforma em um ziguezague que acaba em lugar nenhum. Aqueles que o escolhem são representados com a cabeça separada do corpo, pairando acima deste. Para eles, o grande desvio será uma época de confusão e caos, que conduzirá à destruição. O caminho de baixo continua numa linha reta, forte e constante. Quem o escolher viverá até uma idade avançada e suas colheitas serão abundantes e saudáveis.

A dois terços do início, aproximadamente, há uma linha vertical ligando as duas estradas. Os hopis afirmam que, até atingirmos esse ponto de intersecção, podemos ir livremente para trás e para a frente, explorando os dois caminhos. Mas, a partir desse ponto, as escolhas já foram feitas e não há mais retorno. Em termos de física quântica, essa parte da profecia descreve um ponto de escolha, uma oportunidade para que a humanidade prove os caminhos dos dois mundos e escolha o que lhe parecer verdadeiro. Segundo as palavras da profecia, "se persistirmos no caminho sagrado que ele (o Criador) projetou para nós, aquilo que tivermos conquistado não perderemos jamais. Ainda assim, temos de escolher entre as duas rotas".[8] A Mãe Natureza nos indica qual o caminho certo. "Quando terremotos, enchentes, tempestades de granizo, seca e fome estiverem presentes no dia-a-dia, será chegada a hora de voltar ao verdadeiro caminho."[9]

Os extremos da natureza que vemos atualmente indicam aos hopis que o tempo da purificação é iminente. A severidade da nossa expiação está sendo determinada à medida que as nossas reações individuais aos desafios da vida criam o resultado coletivo. Num texto escrito pelos anciãos da nação Hopi[10], alguns acontecimentos específicos do nosso mundo são considerados como indicadores do nosso avanço rumo a um cenário mais grandioso. Eis aqui alguns deles:

- Aumento da fome e da desnutrição coletivas.
- Aumento dos crimes e da violência.
- Redução das fontes de água potável.
- Rompimento da camada de ozônio sobre a Antártica e expansão sem precedentes dessa fenda.
- Efeitos da tecnologia (diminuição das florestas tropicais, extinção da vida selvagem e disseminação de armas nucleares).

Será na nossa época, a época indicada pelos acontecimentos fenomenais em todo o mundo, que o sistema de crenças dos indivíduos e de populações inteiras será testado. Os anciãos hopis descrevem três "grandes abalos" na Terra. Os dois primeiros, segundo a interpretação dos sábios da tribo, foram as duas Grandes Guerras; o terceiro ainda é desconhecido. Ele não foi identificado, pois a natureza desse abalo ainda está sendo determinada pela humanidade. "A profecia diz que a Terra será sacudida três vezes: primeiro, a Grande Guerra; depois, uma segunda guerra, quando a suástica eleva-se acima dos campos de batalha da Europa, para terminar com o Sol Nascente mergulhando num mar de sangue. O terceiro abalo — dependerá do caminho escolhido pela humanidade: o da ambição, do conforto e do lucro, ou o caminho do amor, da força e do equilíbrio."[11]

As tradições reconhecem claramente a relação direta entre o modo pelo qual encaramos os desafios diários da nossa vida e o tipo de mundo que teremos no futuro. O caos da mudança é a oportunidade que temos para aperfeiçoar as nossas crenças, prestigiando aquilo que é bom e abandonando de bom grado aquilo que não serve mais. Será a nossa nova visão de mundo do presente, aprimorada, que nos conduzirá elegantemente através dos tempos de futuros desafios.

Do mesmo modo que as profecias dos essênios e de Edgar Cayce, os hopis nos deixam uma mensagem de esperança. A sua visão do futuro termina advertindo-nos para sermos responsáveis pela forma como usamos os poderes do nosso corpo e de nossas máquinas. Somos lembrados mais uma vez de que as escolhas que fizermos a cada dia determinarão a duração e gravidade dos nossos dias de tribulação. A profecia hopi nos lembra, com simplicidade e eloquência, que o modo pelo qual vivermos determinará o caminho a ser seguido. A escolha é nossa.

A curva do tempo

Um denominador comum para avaliar muitas das possibilidades e dos múltiplos resultados é a referência à substância que constitui o próprio tecido da criação e a força que age sobre ela. Se existem mundos de possibilidades paralelas, do que eles são feitos? O físico Max Planck, ganhador do Prêmio Nobel, chocou o mundo com suas descrições das forças invisíveis da natureza. Ao receber o Prêmio Nobel por seus estudos do átomo, ele fez uma declaração notável: "Como um homem que devotou toda a sua vida à ciência mais lúcida, o estudo da matéria, o que posso dizer sobre o resultado das minhas pesquisas sobre o átomo é: 'A matéria, como tal, não existe!' Toda matéria se origina e existe apenas em virtude de uma força que faz com que as partículas de um átomo vibrem e mantenham coeso esse minúsculo sistema solar que é o átomo (...). Temos de admitir a existência de uma mente consciente e inteligente por trás dessa força. Essa mente é a matriz de toda a matéria."[12]

É possível que essa "força" de Planck seja a chave para o redirecionamento dos resultados postulados pela ciência e preditos pelos antigos profetas. Talvez tenha sido Richard Feynman, laureado com o Nobel, quem deu a melhor definição para o potencial de prever o futuro, em sua já famosa citação: "Não sabemos como predizer o que acontecerá em dadas circunstâncias. A única coisa que pode ser predita é a possibilidade de diferentes acontecimentos. Só podemos prever a probabilidade."[13] À luz desse tipo de pensamento, está claro que a ciência investiga seriamente as relações entre as forças metafísicas do cosmo e o seu efeito sobre o mundo físico.

O modo pelo qual nos sintonizamos com os possíveis resultados é determinado pela visão que temos da vida. Dessa perspectiva, todas as doenças que ameaçam cada corpo já foram tratadas, a paz já está presente e cada ser humano do nosso mundo já está alimentado. Somos agora chamados a escolher a qualidade dos pensamentos, sentimentos e emoções que nos permitam "curvar" as ondas do tempo e trazer essas condições ao presente.

Um dia, os olhos do teu
espírito se abrirão e
saberás todas as coisas

– *EVANGELHO ESSÊNIO DA PAZ*

O EFEITO ISAÍAS

O mistério da montanha

Nos textos bíblicos modernos, as primeiras visões do nosso futuro foram descritas pelo profeta Isaías, no Antigo Testamento. Entre os Manuscritos do mar Morto, a abrangência dos textos de Isaías nos permite considerar esse trabalho como um modelo para a interpretação das profecias apocalípticas de outras tradições, bem como vislumbrar o nosso futuro sob o ponto de vista dos profetas bíblicos. Assim, somos dispensados da tediosa tarefa de analisar a totalidade dos quatro maiores e dos doze livros menores de profecias bíblicas. A abordagem ampla torna possível ver essas antigas tradições de um patamar elevado e procurar *padrões de idéias*, em vez de focalizar os pontos específicos de cada visão individual e compará-los entre si. Assim fazendo, surge uma possibilidade interessante e talvez inesperada.

Nos capítulos anteriores, aludimos a um padrão nas profecias de Isaías que fala de uma época de destruição, mudanças catastróficas e um quase imperscrutável desaparecimento da vida, seguido por uma era de paz e salvação. Os elementos para essa previsão estão claramente presentes. Uma parte específica dessas profecias, chamada de Apocalipse de Isaías, nos proporciona uma visão ainda mais ampla da dupla natureza das visões do profeta. Ele descreve um tempo, futuro para ele, no qual "E a terra ficou infeccionada pelos seus habitantes: porque transgrediram as leis, mudaram o direito, romperam a antiga aliança. (...) e por isso, enfatuar-se-ão os seus cultores e serão deixados poucos homens".[1] Isaías prossegue descrevendo violentos movimentos da terra, bem como movimentos inusitados do Sol e da Lua: "serão abalados os fundamentos da terra. (...)a terra será feita em pedaços (...), a terra será sacudida (...), a terra será abalada (...), a lua se envergonhará e se confundirá o sol..."[2]

Depois dessas terríveis visões sobre o futuro da Terra, o Apocalipse de Isaías muda de tom, de um modo interessante e inesperado. Com poucas indicações sobre as mudanças que ocorrerão, Isaías começa abruptamente a falar de uma época bem diferente em sua visão do futuro, um tempo de alegria, paz e vida. Na parte seguinte de sua profecia, ainda considerada apocalíptica pelos estudiosos, ele descreve uma era na qual é criada uma "nova terra", junto com "novos céus". É nesse tempo que "não persistirão na memória as primeiras calamidades (...). Mas vós folgareis (...) e não se ouvirá dali por diante nele voz de choro, nem voz de lamento".[3]

Depois dessa seqüência, somos levados a crer que acontecimentos alegres sucederão os trágicos, que *estes devem preceder àqueles*, na ordem sugerida pelo texto. Por que as profecias de Edgar Cayce, de Nostradamus, dos anciãos nativos americanos e de outros parecem tão contraditórias às vezes, ao transmitir uma mensagem, misto de esperança e possibilidades, junto com terríveis imagens de morte, decadência e destruição catastrófica, *relativas à mesma época*? É possível que esses vislumbres antigos do nosso futuro contenham outra possibilidade, que seja tão poderosa e irresistível que mesmo os profetas não tenham compreendido todas as implicações de suas próprias visões?

É exatamente essa sensação que temos ao reler a profecia de Daniel, num dos capítulos do Antigo Testamento. Parece que Daniel, ao ter um raro vislumbre do futuro distante, não compreendeu totalmente o que havia visto. E como poderia, sem ter um quadro de referência para orientá-lo na interpretação das coisas que testemunhou quanto ao futuro? Já no final da viagem pelo tempo, o guia que o conduzira sugeriu apenas: "Tu, porém, vai até o tempo predefinido: e descansarás, e ficarás na tua sorte até o fim dos dias."[4]

Ao revelar as suas visões, estaria Isaías prevendo acontecimentos reais que iriam ocorrer inexoravelmente, ou descrevia *vislumbres de uma possibilidade quântica,* com um significado tão inesperado que permaneceu oculto até o século XX? Interpretada sob o ponto de vista dos novos físicos, a descrição de Isaías de um futuro muito diferente para o mesmo ponto do tempo coincide de maneira surpreendente com as modernas descrições de resultados quânticos. Em tais discussões, os futuros imaginados por Isaías tornam-se ondas de possibilidade em vez de resultados factuais. Além disso, a ciência quântica permite que os indivíduos no presente possam alterar esses catastróficos resultados no futuro. O importante é compreender quando e como as oportunidades para mudanças se apresentam.

O caso citado no primeiro capítulo, de uma oração em massa em favor da paz, na véspera de um ataque aéreo contra o Iraque, representa um formidável exemplo dessas escolhas. Para alguns observadores, a ordem para começar o ataque, seguida minutos depois de outra ordem para suspender a missão, não fazia sentido. Mas, do ponto de vista do tênue véu das possibilidades quânticas, os acontecimentos do dia eram perfeitamente explicáveis.

Nessa noite, milhares de pessoas, em pelo menos 36 países, dos seis continentes, já tinham concordado em aderir a uma vigília em massa pela paz. Coordenada pela Internet[5], a oração foi realizada por famílias, organizações e comunidades, como uma voz em favor da paz e que transcendia os limites políticos de governos e nações. A vigília não era um protesto *contra* o bombardeio do Iraque ou qualquer política, governo ou situação existente em qualquer lugar do mundo. Era, sim, o brado de milhares de corações e mentes para reverenciar o caráter sagrado da vida, unido numa única voz, ecoando uma mensagem simples: "Paz em todos os mundos, em todas as nações, por toda a vida."

Depois de algumas horas de vigília, o curso dos acontecimentos no Iraque havia se alterado. Nesse dia, à vista do mundo todo, testemunhamos o poder da consciência humana reorganizando os blocos construtores dos eventos que já estavam em curso. Em vez de súplicas esparsas pedindo a intervenção divina numa situação que parecia inevitável, a decisão sincronizada de muitas pessoas, coordenada pelo milagre da Internet, deslizou entre os véus das possibilidades quânticas, para dar forma a um resultado que apoiava a vida por meio da paz.

Em nossa individualidade como nações, famílias e pessoas, nessa sexta-feira, 13 de novembro de 1998, participamos de uma experiência comum. Escondida nos recessos mais profundos da nossa memória coletiva como um segredo de família, considerada tabu por tanto tempo que os pormenores se haviam perdido, a oração que fizemos pela paz abriu a porta para muitas oportunidades de cura, cooperação internacional e nossas maiores expressões de amor por aqueles que nos são caros. Nessa noite de novembro, demos um suspiro coletivo de alívio ao reformularmos um desfecho que parecia inevitável. Assim, fomos testemunhas de nossa própria capacidade de acabar com o sofrimento no mundo.

Como podemos provar cientificamente que durante a prece de milhares de pessoas uma nova possibilidade substituiu as ações de guerra já em curso? Ao mesmo tempo, que outro poder além da paz poderia ter-se adiantado na presença de tal oração? Tendo em mente essa experiência, quais as implicações de escolhas semelhantes a essa para o futuro do mundo?

A decodificação do mistério de Isaías

Por quase 3 mil anos os eruditos examinaram as pistas deixadas por Isaías para as visões daquilo que podemos esperar para o futuro. À medida que as culturas se transformavam, as interpretações de suas profecias também mudavam. As traduções feitas durante a época da Inquisição espanhola, por exemplo, refletiam os rigorosos limites impostos pela Igreja às interpretações místicas. Hoje, a linguagem da ciência quântica proporciona uma nova e mais ampla visão dos vislumbres que Isaías teve do nosso futuro.

O mistério das profecias de Isaías talvez tenha sido previsto na época em que ele as escreveu. Como se fosse um chamado às pessoas do futuro para olharem além do óbvio, ele afirmou: "E será para vós a visão de todos eles como as palavras de um livro selado que quando o derem ao que sabe ler, lhe dirão: Lê. E ele responderá: Não sei ler."[6] Nessa passagem exemplar, uma das poucas dessa natureza, Isaías faz uma observação sutil sobre a atitude das gerações seguintes quanto às visões no tempo que ele teve. Ele tinha ciência de que o homem do futuro, que "saberia ler" a sua profecia, teria a capacidade de compreender a mensagem que ele comporta. Mas esse que sabe ler não a reconhece, porque o *contexto* não lhe foi revelado.

Será que o "selo" de Isaías é a descoberta que fizemos das leis fundamentais da criação, a própria natureza do tempo? Se ele de fato estava proporcionando esses vislumbres a uma geração muito distante no futuro, como a visão poderia ser compreendida sem os elementos da física do século XX? Ao mesmo tempo, que palavras ele poderia usar, em sua época, para transmitir uma mensagem tão incisiva e, ao mesmo tempo, tão abstrata para as gerações seguintes? O profeta nos dá uma pista para esse aparente enigma, quando descreve como os habitantes da Terra num futuro distante poderão escolher qual de suas visões preferem viver. Assim, Isaías abre a porta para um caminho que poderá mudar para sempre a atitude da humanidade, e reescrever a História.

Cuidadosamente, Isaías delineia a forma de comportamento que torna possível para nós escapar à escuridão que ele testemunhou. Ele começa referindo-se à chave mística com que as pessoas de qualquer geração podem redirecionar os acontecimentos que estão no provável futuro delas.

Essa explicação está identificada em sua visão como um "monte".⁷ É no meio desse monte que Isaías descreve uma "fortaleza para o pobre, fortaleza para o necessitado na sua tribulação; esperança contra o torvelinho, sombra contra o calor".⁸ Em uma passagem particularmente interessante, o profeta fala de uma época em que, na presença do monte, o "laço atado sobre todos os povos e a teia que urdiu sobre todas as nações serão quebrados".* Aqui encontramos as primeiras pistas para essa profecia. Ele se refere claramente a um monte como a chave do refúgio e do poder. *O que é exatamente o monte, nas profecias de Isaías?*

Alguns pesquisadores acreditam que seja uma referência a uma localização física, um lugar de poder e abrigo para quem tiver a sorte de encontrá-lo. Outros sugerem que o monte de Isaías era um tipo de código, uma "trava de tempo" para assegurar que a mensagem só seria revelada quando os princípios para o uso da sabedoria fossem compreendidos. Embora essas hipóteses sejam possíveis, talvez o mistério da profecia tenha uma explicação mais simples. A identificação do monte de Isaías pode ser um belo exemplo de como a passagem do tempo e a evolução das culturas alteraram o contexto original a tal ponto que a mensagem se tenha perdido, ou pelo menos obscurecido.

Muitas vezes, em referências modernas a antigos textos bíblicos, encontramos palavras específicas, marcadas por uma nota na margem, indicando que elas podem ter outros usos, interpretações ou significados. É o caso do monte de Isaías. Além da possibilidade de tradutores e línguas darem margem a erros, nesse ponto outro fator oculta o significado original: o uso de símbolos e metáforas. Os eruditos esclarecem que, durante a época dos escritos, a palavra "monte" era, de fato, simbólica, e usada para representar a "Jerusalém celestial".⁹ Em vez de uma localização física — nesse caso, a cidade de Jerusalém — as notas mostram claramente que a palavra "monte" é uma referência metafórica. Mas o significado de "cidade celestial" ainda é um tanto nebuloso, até que pesquisas posteriores revelem uma outra pista. A nossa Bíblia moderna é produto de traduções anteriores feitas a partir do original hebraico. Comparando essa frase com as palavras exatas do original, descobrimos um significado inesperado, mas não surpreendente, para a referência.

Em hebraico, a palavra Jerusalém é (*Ierushalayim*). Aqui a definição torna-se clara: significa "visão da paz".¹⁰ Finalmente, o significado misterioso da mensagem de Isaías se esclarece. O monte não é um lugar físico, mas

---

* Is 25.7. (N. do T.)

sim uma referência ao poder da paz! Diante desse esclarecimento, podemos interpretar a profecia assim: "A *visão da paz* serve de fortaleza para o pobre, fortaleza para o necessitado na sua tribulação; esperança contra o torvelinho, sombra contra o calor." Na presença da *visão da paz*, o "laço atado sobre todos os povos e a teia que urdiu sobre todas as nações" serão quebrados.

Essa nova interpretação da profecia de Isaías proporciona uma nova visão do poder dessa antiga mensagem. Tendo contemplado momentos importantes do futuro, ele testemunhou duas possibilidades diferentes e distintas: um tempo de salvação e um tempo de destruição. Como nós também teríamos feito, o grande profeta descreveu a visão nas palavras que ele conhecia, alertando para uma possibilidade do nosso futuro com base em num determinado curso dos acontecimentos. Ao mesmo tempo, advertia àqueles que leriam a sua profecia para que reconsiderassem as escolhas a serem feitas em suas vidas para, assim, poderem evitar o sofrimento que ele previra como um dos futuros possíveis.

O Efeito Isaías

Estamos evidentemente entrando numa nova era de compreensão das ciências interiores da oração, da profecia e dos agentes de mudança que Isaías e outros reconheceram em seus escritos. De uma simplicidade enganadora, as visões de Isaías nos lembram de duas coisas: primeiro, por meio da ciência da profecia podemos vislumbrar as futuras conseqüências das escolhas que fazemos no presente; segundo, nós incorporamos o poder coletivo de escolher o futuro que desejamos. É por meio da consideração para com os outros, na nossa vida diária, que coletamos as experiências que enfocarão o futuro. Este é o Efeito Isaías — a expressão de uma ciência antiga que afirma que podemos alterar as conseqüências do futuro mediante escolhas que fazemos em cada momento do presente.

A física quântica nos fornece hoje a linguagem que dá significado a essa sofisticada tecnologia na vida cotidiana. Assim, concedemos às nossas famílias, comunidades e a todos que nos são caros o poder da mensagem simples e eficaz de respeitar todas as formas de vida no nosso mundo. Optando pela paz, asseguramos a sobrevivência da nossa espécie e o futuro do único lar que conhecemos. Já testemunhamos o poder do Efeito Isaías. Sabemos que ele funciona. Agora vem a pergunta: Como implementar esse princípio quântico de escolha na nossa vida diária, como uma família global?

Quando, para criar mais equilíbrio, usar-se
a oração e a meditação
em vez de novas invenções,
a humanidade também encontrará
o caminho verdadeiro.

– ROBERT BOISSIERE, *MEDITATIONS WITH THE HOPI*

O ENCONTRO COM O ABADE

Os essênios no Tibete

Nos meus estudos sobre as tradições esotéricas do Peru, do Tibete, do Egito, da Terra Santa e do sudoeste norte-americano, surge um tema ao mesmo tempo fascinante e curioso. As profecias de todas essas culturas parecem ser maleáveis, como argila macia nas mãos de um escultor. Do mesmo modo que a forma final da escultura será determinada pelas escolhas e movimentos do artista, o tema dessas antigas tradições sugere que estamos delineando, em todos os momentos da vida, o resultado e o destino final da humanidade.

É interessante que as referências mais claras a essas tradições tenham sido encontradas em documentos vindos do Oriente Médio, especificamente os Manuscritos de Qumran, na região do mar Morto. Elas falam de uma linhagem de sabedoria tão antiga que já era velha na época do Egito clássico, 3 mil anos antes. A minha impressão é que, se tais informações existem de fato, não haveria melhor lugar para preservar essa sabedoria do que os retiros espirituais remotos de uma terra não tocada pela tecnologia moderna. Teria de ser num lugar assim que as tradições, há muito perdidas para o Ocidente, continuariam a fazer parte dos rituais diários dos habitantes locais. Isolados do mundo exterior até 1980, os remotos mosteiros do platô tibetano oferecem exatamente esse ambiente.

Em abril de 1998, tive o privilégio de organizar uma peregrinação ao planalto do Tibete, à procura dessas tradições. Ironicamente, só depois que voltei dessa viagem é que as minhas suposições se confirmaram por escrito. Poucos dias depois de voltar aos Estados Unidos, recebi um manuscrito, recentemente traduzido, dos nazirenos, uma seita dos antigos essênios. Esse texto afirmava que pequenos bolsões de informação, como antigas cápsulas do tempo, haviam sido estrategicamente escondidos pelos essênios, durante o século I d.C., para preservar a sabedoria para as futuras gerações. Entre os lugares claramente mencionados como repositórios para esses textos estavam os remotos mosteiros e conventos do Tibete.

Com a ajuda de um especialista em culturas asiáticas que eu havia conhecido na Inglaterra quatro anos antes, o nosso grupo foi habilmente conduzido pelo interior tibetano a aldeias isoladas, mosteiros escondidos e templos seculares. Durante 21 dias, estivemos em contato com o povo tibetano, com a santidade da sua vida e com a magnificência rústica da sua terra. Cruzamos rios pouco profundos em jangadas, percorremos estradas de terra batida e sentimos a euforia de passar por desfiladeiros situados a mais de 5 mil metros acima do nível do mar. No último trecho da nossa viagem, chegamos até a trocar a segurança do nosso ônibus pela carroceria aberta de um caminhão de frutas, que esperava do outro lado de uma montanha de neve do tamanho de um edifício de quatro andares.

Quase um terço da nossa excursão foi através da área montanhosa do platô ocidental. Entre aldeias remotas, conventos e mosteiros raramente visitados por ocidentais, as pessoas vivem hoje como há séculos, respeitando as tradições dos seus ancestrais. Cada vez que entrávamos num templo, era como se estivéssemos dentro de uma fotografia viva de tradições tibetanas, congelada numa época antiga. Em cada etapa da nossa jornada éramos recebidos com uma espontaneidade e um calor maiores do que podíamos imaginar naquele local desolado cheio de tanta beleza. O objetivo da nossa peregrinação era testemunhar, sentir e documentar exemplos vivos da uma tecnologia interior que eu imaginava estar perdida no Ocidente há quase 2 mil anos. Hoje conhecemos um fragmento dessa ciência que é a tecnologia interior da oração.

Abençoados pelo abade

Um raio de luz vinha de algum lugar bem acima do piso do templo. O feixe luminoso tinha uma curiosa natureza tridimensional, como se eu pudesse envolvê-lo com as mãos e subir até sua origem. A luz abria o caminho com precisão através do ar fresco e nevoento, pesado com a fumaça de inúmeras lamparinas e incenso. Virei a cabeça para ver de onde provinha a luz. Seguindo o facho luminoso desde o ponto onde ele tocava o chão liso e oleoso até o local de onde partia, vi uma abertura na parte de cima.

Através de uma janela pequena e quadrada podia-se ver o azul intenso do céu do Tibete. Excetuando-se uma pequena lanterna que eu havia tirado da mochila, esse raio direto do sol matinal era a única luz num emaranhado de corredores sinuosos e becos sem saída. Anotei mentalmente a localização dessa abertura. Seria a minha referência no caso de não conseguir encontrar o caminho de volta.

Junto com um grupo de vinte pessoas, minha esposa e eu viajáramos através dos planaltos acidentados do Tibete, passando por estradas de terra que não eram mais do que trilhas para jipes, para chegarmos a esse lugar. Pesquisando durante anos sobre as tradições dos antigos, descobri indícios de uma linhagem de sabedoria esquecida pelas sociedades ocidentais. Os ensinamentos de escolas de mistério, ordens sagradas e seitas esotéricas, perdidas depois da época de Cristo, tudo apontava para uma herança de sapiência abandonada há cerca de 1.700 anos. As evidências mais claras dessas tradições encontram-se, possivelmente, entre os registros das misteriosas comunidades dos antigos essênios descritas anteriormente.

As constantes referências finalmente me levaram a uma série de viagens em busca de evidências diretas e palpáveis dos seus ensinamentos e a sua relevância para o nosso mundo atual. Nos anos 80, percorri o deserto do Egito, escalei os Andes no Peru e na Bolívia e os desertos do sudoeste norte-americano procurando indícios dessa sabedoria perdida. Meu raciocínio era de que ensinamentos tão universais teriam sido registrados em diversos outros textos ou manuscritos, além dos Manuscritos do mar Morto. Tão significativos quanto os próprios manuscritos seriam os dados encontrados na História, nos ensinamentos e nas tradições do próprio povo. As possibilidades são tão óbvias que foram menosprezadas em épocas recentes.

Em vez de *especular* sobre textos de 2 mil anos atrás e imaginar a que as traduções poderiam estar aludindo, na presença de povos nativos vivendo a sabedoria perdida, poderíamos realmente *testemunhar* sua prática atual. Durante o tempo que passaríamos juntos, poderíamos aprimorar as perguntas e verificar as respostas com uma clareza que não seria possível nas traduções dos escritos das paredes dos templos e nos manuscritos já meio carcomidos. Ademais, obteríamos um novo respeito pelos guardiães da sabedoria perdida, uma nova compreensão da sua cultura e da sua vida.

O mais importante seria encontrar registros bastante exatos, guardados por um povo durante muito tempo e mantidos praticamente intactos, sem ter sofrido distorções. Imaginei que, se isso pudesse existir, se ainda existisse hoje, o Tibete seria um bom lugar para começar a pesquisa. O Tibete ficou isolado do resto do mundo até 1980 e muitos dos ensinamentos e registros permaneceram exatamente no lugar onde foram colocados há séculos. Escondida no "teto do mundo", em mosteiros e conventos de 1.500 anos, a sabedoria dos antigos essênios poderia ficar à vista, preservada na forma de rituais, costumes e na vida do povo que vive ali. E ali estávamos nós, percorrendo os corredores escuros de um desses mosteiros, para empreendermos a busca.

Embora estivéssemos no Tibete há catorze dias e já bem aclimatados, os rápidos movimentos dos meus olhos de um lado para outro ainda me davam tontura. Fiz um esforço consciente para inspirar profundamente, pois a minha respiração era superficial e rápida. Sem dar tempo aos meus olhos de se reajustarem, andei cautelosamente na direção de uma luz fraca perto do fim do corredor enfumaçado. Enormes figuras erguiam-se ao meu lado, enquanto a luz da minha lanterna criava um caminho na direção da abertura. Sem parar, virei-me de um lado para o outro, iluminando as enormes formas humanas entalhadas. À luz da lanterna, pude ver grandes pinturas atrás de cada figura, com murais invadindo a escuridão, na direção de um teto que eu só podia imaginar que estivesse ali.

Subitamente, minha atenção foi desviada das figuras para um som a distância, fraco embora familiar. Começando como um zumbido de muitos sons encadeados, as notas fundiam-se num tom contínuo. Ele parecia vir de todos os lados ao mesmo tempo. Eu continuei avançando, pisando cuidadosamente no chão irregular e escorregadio, devido a seiscentos anos de óleo derramado. Monges passando rapidamente por esse corredor com suas urnas cheias de manteiga de iaque haviam criado um caminho traiçoeiro. Era a única passagem para o recinto mais sagrado do mosteiro. O som se tornou mais alto quando cruzei uma soleira de madeira. Pisando no chão frio, parei para que meus olhos se acostumassem.

As três paredes da pequena câmara envolveram-me com pequenas chamas bruxuleantes. Centenas de velas de manteiga de iaque em lamparinas de latão polido iluminavam o cômodo com um brilho quase irreal. Embora cada lâmpada fosse pequena, o calor de todas combinado deixava a sala extremamente quente. Um jovem monge estava sentado, batendo ritmicamente num tambor, como se estivesse em transe, enquanto cantava uma música do livro de orações à sua frente. A voz de Xjinla (o nome dos guias e dos tradutores foi trocado, para lhes garantir a privacidade), o nosso tradutor, murmurava ao meu ouvido. (Na língua tibetana o sufixo *-la* é acrescentado a um nome em sinal de veneração e respeito. Assim, o nome *Xjin* torna-se *Xjinla*.)

— Esta é a sala dos protetores — disse ele. E antes que eu pudesse perguntar, acrescentou: — Os protetores são divindades chamadas para desencorajar as forças do mal que queiram entrar no próximo cômodo.

Seguindo a etiqueta do mosteiro, entramos pela esquerda, passando pelo monge e dirigindo-nos para a soleira da sala seguinte. Fui o segundo a entrar, seguindo a orientação do guia. Pouco maior do que um pequeno cubo, o espaço parecia ainda menor devido à viga de apoio no centro.

Ali, à luz pálida de algumas velas, estava a razão pela qual viajáramos através de meio mundo, por dois continentes e dez fusos horários, ajustando o nosso organismo a uma das atmosferas mais rarefeitas da Terra. Sentado com as pernas dobradas sob as vestes, estava o abade do mosteiro, o líder espiritual dessa seita de monges. Eu sentia-me honrado por passar nem que fosse alguns poucos, mas preciosos, minutos com esse homem. Para meu espanto, esses primeiros momentos foram o início de quase uma hora que passamos juntos!

Em primeiro lugar, as formalidades. Cada um de nós havia recebido um cachecol de linho branco que seria oferecido como gesto de reverência. Fomos instruídos sobre como o cachecol, chamado *kata*, deveria ser cuidadosamente dobrado e entregue ao abade. Ao receber o presente, ele o aceitaria ou então o abençoaria e devolveria ao ofertante. Lembro-me de ter pensado no que ele faria com 22 cachecóis em seu pequeno cômodo, caso os aceitasse!

Xjinla deu o exemplo, oferecendo o seu *kata* e ajoelhando-se na frente do homem de aparência frágil. Inclinando a cabeça, esse nativo tibetano apresentou o seu presente com um gesto de reverência, com as palmas das mãos voltadas para cima. O abade aceitou, pegou e abençoou o cachecol e depois o devolveu a Xjinla, colocando-o em volta do pescoço deste, que ainda estava curvado em sinal de reverência. Eu seria o próximo.

Ao me aproximar do abade sentado à minha frente, subitamente tive uma estranha sensação de intemporalidade, como ocorre em momentos nos quais o mundo parece se mover mais devagar. Em câmara lenta, curvei-me respeitosamente, apresentei o meu *kata* e esperei que o abade devolvesse o meu presente. Passou-se um tempo que certamente era mais longo do que o prescrito pelo ritual. Curioso, levantei a cabeça a tempo de encontrar a testa do abade que descia na minha direção. Levantando os braços para colocar o cachecol em volta do meu pescoço, ele gentilmente aninhou a minha cabeça em suas mãos e encostou a sua testa na minha.

Imediatamente, senti uma estranha familiaridade com esse homem, que eu via pela primeira vez. Essa afinidade transformou-se em confiança, e tomei a liberdade de erguer os olhos e olhar diretamente nos dele. O que eu sabia serem segundos tornou-se infinito. Sabendo que eu havia quebrado o costume de manter a cabeça inclinada durante a cerimônia do oferecimento, eu não tinha certeza de como o meu contato visual seria recebido. O embaraço durou pouco. O religioso demonstrou sua maestria, dissipando a incerteza do momento com graça e simplicidade. Devolvendo-me o olhar, ele deu um sorriso caloroso e cortês. Com esse gesto de receptividade, eu soube que a minha parte da cerimônia estava completa. Eu sabia também que havia sido aberta uma oportunidade para descobrir as memórias e a experiência dos ensinamentos desse homem. Era a vez do próximo visitante.

O segredo da oração

Depois de mais vinte bênçãos semelhantes o abade recostou-se calmamente em suas almofadas, fechou os olhos e concentrou-se no nosso encontro. Era o momento que estávamos aguardando. Eu havia solicitado uma audiência com esse santo homem com o objetivo especial de entrar em contato com sua antiga linhagem de sabedoria. Se de fato os essênios haviam emigrado para o Tibete depois da época de Cristo, elementos das tradições essênias seriam reconhecíveis nos atuais rituais tibetanos. Sob a hábil orientação de Xjinla, fiz as perguntas que me haviam feito viajar pela metade do mundo.

— Xjinla — comecei —, tenha a gentileza de perguntar ao abade sobre as preces que testemunhamos nos mosteiros. Será que ele pode descrever o que acontece durante uma oração, e como cada uma delas é realizada?

Xjinla olhou para mim como se esperasse a conclusão da pergunta.

— Há mais alguma coisa? — perguntou ele. — Talvez eu não esteja entendendo o que você perguntou.

Existem muitas palavras em tibetano que não podem ser traduzidas diretamente por uma palavra de outra língua. Para comunicar conceitos, muitas vezes é preciso criar uma frase na nossa língua para descrever o equivalente em tibetano. Senti que esse era um desses momentos. Juntando os meus pensamentos, reformulei a pergunta do modo mais simples, sem alterar o sentido:

— O que acontece especificamente no interior da pessoa que está orando, quando presenciamos os cantos, tons, mudras e mantras exteriores?

Xjinla virou-se para o abade, que esperava pacientemente, e o processo começou. Por vezes ele fechava os olhos e discursava durante alguns minutos em resposta a uma simples frase de Xjinla. Outras vezes o abade proferia uma sentença curta acompanhada de um gesto ou de um suspiro. Xjinla fez o melhor possível para converter a explicação do abade sobre uma experiência sutil no equivalente em inglês, antes de passar à tradução. Ao ouvir a pergunta reformulada, o abade olhou-me com um largo sorriso no rosto. Alguns sons não precisam de tradução.

— Aahh... — disse ele, pensativo.

Eu sabia, pelo seu tom de voz, que a minha pergunta havia atingido diretamente a essência do que era praticado nesse mosteiro e em outros que havíamos visitado. Seu sorriso diminuiu quando ele apertou os lábios e emitiu um som diferente:

— Hum...

Eu observava enquanto ele virava os olhos para cima, olhando o teto escurecido pela fumaça de incontáveis lamparinas durante séculos. Ele fixou o olhar num ponto invisível lá em cima. Concentrado naquele ponto no teto, o abade procurou as palavras para reconhecer a essência da minha pergunta. Lembro-me de ter pensado que o que pedira era o mesmo que solicitar a alguém que descrevesse o significado da vida em poucas palavras. Esse homem, que não sabia qual era a minha formação, meus fundamentos espirituais, minha orientação religiosa e nem mesmo a minha intenção, procurava uma forma de responder adequadamente. Ele buscava uma forma de começar.

"Agora estamos chegando lá", pensei. "O que posso fazer para deixar o abade mais à vontade?" Pensando nas traduções dos manuscritos dos essênios do mar Morto, considerei a linguagem que era usada há 2.500 anos para descrever a tecnologia da oração. Os textos concentravam-se nos verdadeiros elementos da prece: pensamento, sentimento e corpo. A última coisa que eu desejava fazer era sugerir uma resposta ao abade. Cuidadosamente reformulei a pergunta:

— Xjinla — disse eu, interrompendo momentaneamente a linha de pensamentos do abade —, o que me interessa mais especificamente é *como* a oração é criada. Qual o resultado da expressão exterior que vemos nas salas de oração? Para onde as preces levam as pessoas?

O abade nos olhava, esperando que Xjinla traduzisse a minha pergunta reformulada. Rapidamente, numa sentença curta, Xjinla a transmitiu. Eu sabia que a nossa persistência nos levaria a algum lugar. Sem parar para pensar, o abade proferiu uma palavra só. Depois, ele a repetiu, seguida de uma rajada de tibetano que soava bem diferente das frases que eu havia estudado. Deixei de lado a tentativa de entender. Enquanto observava o religioso, minha mente se concentrava em Xjinla. Eu quase podia enxergar o seu processo mental. Em vez de traduzir a fala palavra por palavra, ele captava a idéia geral e transmitia a resposta com palavras específicas do abade.

— Sentimento! — disse Xjinla. — O abade diz que o objetivo de cada oração é atingir um sentimento.

O abade assentia com a cabeça, como se entendesse a tradução.

— As ações exteriores que vemos — continuou, Xjinja —, são uma mostra dos movimentos e dos sons que ajudam a evocar o sentimento. Eles vêm sendo usados pelos nossos ancestrais há séculos.

Agora era eu quem sorria. Ainda que suspeitasse que a força nebulosa do "sentimento" fosse um dos fatores das preces tibetanas, pela primeira vez tive a confirmação. O abade afirmava que o sentimento é mais do que apenas um fator na oração. Ele ressaltava que o sentimento era a essência de cada prece!

Imediatamente lembrei-me dos textos essênios. Nas palavras daquela época, os antigos escritos descreviam brilhantemente experiências que hoje consideramos uma forma de oração. Do mesmo modo que os essênios se referiam às forças criadoras do mundo como anjos, eles chamavam de "comunhão" a linguagem que usavam para falar com os anjos. Hoje chamamos a mesma linguagem de "oração". Os textos perdidos dos essênios nos lembram que, por meio da nossa comunhão com os elementos deste mundo, temos acesso aos grandes mistérios da vida. "Apenas por meio da comunhão com os anjos do Pai Celestial podemos aprender a ver o invisível, ouvir o que não pode ser ouvido e falar a palavra impronunciável."

O silêncio caiu no pequeno cômodo enquanto meditávamos sobre as palavras do abade. Uma monja ou monge teria que passar anos treinando, estudando e tendo experiências diretas antes de ter o privilégio de uma conversa semelhante. O abade parecia um pouco surpreso com as perguntas que fazíamos. Como se tivesse lido os meus pensamentos, Xjinla falou antes que eu formulasse a próxima pergunta.

— Suas perguntas são bem diferentes das de outros visitantes — disse ele.

— Verdade? — indaguei, admirado. — Se outras pessoas se deram ao trabalho de viajar para Lhasa, adaptar-se à altitude durante uma semana e depois respirar poeira em trilhas escavadas nas escarpas para chegar a este mosteiro no alto do Himalaia, que tipo de perguntas fariam?

Xjinla riu da minha veemência. O som da sua voz quebrou o silêncio enquanto sua risada ecoava nas paredes e reverberava pelas inúmeras capelas que margeavam o corredor.

— Geralmente as perguntas se referem à idade do mosteiro, à comida dos monges ou à idade do próprio abade!

Rimos juntos e olhamos para o abade, tentando mentalmente avaliar a idade dele. Eu pensei: "*Este homem não tem idade. Nestas montanhas, neste mosteiro, a idade não significa nada para ele. Ele apenas existe.*" Olhei novamente para Xjinla. O abade acompanhava a nossa conversa sentado na mesma posição, com as pernas dobradas sob as pesadas roupas. O ar na sala estava frio, embora meu corpo estivesse aquecido pela euforia do nosso diálogo. Olhei para o pequeno termômetro pendurado no fecho da mochila da minha esposa. Ele marcava treze graus centígrados e pensei se estaria certo.

Um assistente aproveitou a oportunidade do silêncio para reacender os montinhos de incenso que ajudavam a disfarçar o odor pungente da manteiga de iaque derretida das lamparinas. Enfiei a mão sob a jaqueta e toquei as três camadas de roupa que havia vestido lá fora no ônibus. Fiquei espantado. A camisa estava encharcada! Cada dia no Tibete é verão e inverno ao mesmo tempo: verão sob o sol e inverno na sombra e dentro dos mosteiros. Olhei para trás a tempo de ver uma rajada de vento varrer o corredor mal iluminado, empilhando palha e poeira em montinhos nos cantos.

A mensagem do abade

Levantei a mão para enxugar o suor dos olhos enquanto continuava a falar com Xjinla. Comecei explicando-lhe o motivo pelo qual havíamos ido ao mosteiro e o motivo das perguntas. Olhando diretamente para o abade, concluí com uma única pergunta.

— Que mensagem o abade desejaria dirigir ao mundo lá fora?

Antes mesmo que Xjinla tivesse terminado de traduzir, o abade, em sua incômoda posição no canto daquele santuário escassamente iluminado, começou a falar. Eu sentia a atenção de Xjinla, algumas vezes chegando à frustração para encontrar as palavras exatas que comunicassem o que estava sendo dito. Diversas vezes tive de pedir-lhe que repetisse ou esclarecesse alguns termos. Outras, eu reformulava a tradução em minhas próprias palavras e Xjinla habilmente corrigia algum mal-entendido. Olhando diretamente para mim, os seus olhos revelavam o que ele sentia. Percebi que Xjinla tinha consciência de sua responsabilidade em transmitir com exatidão as palavras do abade. Nós três nos esforçamos juntos para confirmar o que o abade dizia.

— Cada vez que rezamos individualmente — disse o abade —, temos de *sentir* a nossa prece. Quando oramos, sentimos em favor de todos os seres, em todos os lugares.

Xjinla fez uma pausa enquanto o abade continuava a falar.

— Todos estamos ligados — disse ele. — Todos somos expressões da mesma vida. Não importa onde estejamos, as nossas orações são ouvidas por todos. Todos somos um só.

Senti que o abade, em vez de responder diretamente à minha pergunta, estava preparando o caminho, colocando as fundações para a resposta. Concordando com a cabeça, a minha linguagem corporal transmitia o que os meus conhecimentos da língua tibetana não conseguiam: eu ouvia, compreendia e estava preparado para o resto da resposta. Quanto à mensagem que levaríamos ao mundo exterior, o abade falou apaixonadamente. Embora suas palavras fossem transmitidas por meio de Xjinla, o seu tom e seus gestos eram bem claros. As mãos do abade tinham uma linguagem própria, ao se levantarem na nossa direção com as palmas para cima. Ele olhou diretamente para mim enquanto eu o ouvia cuidadosamente.

— A paz é da maior importância para o nosso mundo hoje — continuou. — Na ausência da paz, perdemos o que havíamos conquistado. Na presença da paz todas as coisas são possíveis: amor, compaixão e perdão. A paz é a origem de tudo. Eu queria pedir às pessoas de todo o mundo que procurem a paz dentro delas próprias, para que essa paz possa refletir-se no mundo.

Cada palavra era uma fonte de admiração para o meu intelecto, bem como uma fonte de alegria para a minha alma. As respostas do abade transmitiam os mesmos conceitos, em *alguns casos com as mesmas palavras*, que foram recuperados nos textos essênios do mar Morto, escritos há mais de 2.500 anos! Os Evangelhos da Paz dos essênios, por exemplo, começam com um longo discurso sobre a paz com uma única e eloqüente passagem. Os ensinamentos começam com a afirmação: "A paz é a chave de todo conhecimento, de todos os mistérios, de toda a vida."

Todos os do nosso grupo sentiam como era importante para o abade que ele fosse ouvido e compreendido. Era notável a paciência dele para com as nossas perguntas diretas e por vezes redundantes. Por mais de uma hora, ele permaneceu sentado na posição de lótus, sobre as pequenas almofadas marrons que o isolavam do frio chão de pedras do mosteiro. O bombardeio de perguntas finalmente deu lugar, mais uma vez, a um silêncio meditativo. Para todos na sala, esse tempo que passamos juntos foi intenso e sincero.

Nossa audiência com esse santo homem, que havia devotado toda a vida à busca da sabedoria num antigo mosteiro no cimo do Hamalaia, tornou-se um ensejo para que harmonizássemos essa experiência com as nossas experiências de vida. Esse homem nos recebeu amavelmente em seus aposentos particulares e sua paciência para conosco tocou-me profundamente. Fez-se silêncio novamente. Os olhos do abade se fecharam. Mas desta vez o queixo pendeu para o peito ao mesmo tempo que ele colocava as mãos em posição de oração, com as palmas e os dedos se tocando, apontados para cima. Mantendo a posição das mãos, ele tocou levemente a testa com os polegares e ficou assim. Foi a última visão que tive dele.

Ele parecia cansado, talvez por receber aqueles 22 ocidentais que apareceram intempestivamente em seu mosteiro. Como se fosse um sinal, sabíamos que a entrevista havia terminado. Quase ao mesmo tempo, começamos a nos erguer da estranha posição que cada um assumira para ter uma visão direta desse belo homem, de linhagem tão antiga. Um por um, erguemo-nos em silêncio e, depois de proferir um respeitoso *Namastê*, saímos para o corredor escuro.

A sala do conhecimento

Quando voltamos pelo caminho que nos havia conduzido aos aposentos do abade, ouvimos novamente a distância um zumbido baixo, quase indiscernível. Era o som, agora conhecido, de muitos monges numa sala ressonante, entoando o canto monótono usado nas preces tibetanas. Cada pessoa percebia o som de modo diferente. Para mim ele flutuava no limiar da audição, entre os ouvidos e a sensação do som no meu corpo. Ele parecia vibrar de algum lugar dentro do meu peito. Uma vez ouvido, ele é inconfundível. Nesse momento ele parecia vir de muito longe.

O sol iluminava o fim do corredor quando nos aproximamos de uma estreita escada de madeira. Não havia corrimão e imediatamente nos colocamos numa posição que tínhamos aprendido em outros mosteiros. Colocando nas costas as mochilas, câmeras, cantis e outros equipamentos, deixamos as mãos livres para descer os degraus de costas. A escada era tão íngreme que ninguém teve coragem de descer de frente. Em manobras desse tipo, o decoro deixa de ser importante. Viajando num pequeno grupo em condições tão primitivas, durante tanto tempo, a cerimônia dos primeiros dias dá lugar à familiaridade dentro da nossa família virtual. Quem chegava ao chão procurava ajudar o próximo a descer, muitas vezes apoiando a parte do corpo que fosse possível. Um por um, chegamos ao chão de terra batida no fim da escada.

Um jovem monge, de uns 14 anos, estava esperando numa pequena antecâmara atrás da escada. Depois que a última pessoa tocou o solo e se arrumou, cumprimentamos o monge com o tradicional *t'atchedelai*. O jovem nos surpreendeu com algumas palavras em inglês. Ele estava muito interessado na audiência que tivéramos com o abade. Aparentemente uma visita assim era rara e mesmo os monges residentes dificilmente tinham uma oportunidade dessas.

A essa altura, Xjinla já havia descido e assumiu o comando da conversa. Depois de algumas formalidades, indaguei sobre a existência de bibliotecas antigas nesse mosteiro. Eu sabia que, entre as muitas qualidades dos tibetanos, eles conseguem manter registros meticulosos. O mais encantador é que eles documentam os fatos aparentemente sem julgá-los. Talvez seja a capacidade que eles têm de sentir a compaixão em tudo o que fazem o que lhes permite registrar o mundo à sua volta sem preconceitos. Sem considerar os acontecimentos como "certos" ou "errados", eles simplesmente anotam o que testemunharam. Imaginei que nos registros dos acontecimentos significativos da vida deles, poderia haver anotações sobre a sabedoria que o abade nos transmitira. Eu estava interessado principalmente na oração baseada no sentimento.

Fomos levados através de uma série de corredores até um quarto escuro atrás de miríades de altares. Grandes estátuas representando os diversos aspectos do Buda alinhavam-se nas passagens até uma outra "sala dos protetores". Nesta última, quase não conseguíamos distinguir as enormes figuras nas paredes que brilhavam com o resíduo das lâmpadas. Sabendo que esse mosteiro tinha mais de quinhentos anos, imaginei que a fuligem estivesse acumulada ali há muito tempo. Num raio de mais de cinco metros, o efeito estroboscópico de cada lamparina revelava um cenário de demônios e forças obscuras. O exame mais minucioso revelou que cada um deles travava combate com as forças da luz, em antigas metáforas que refletem as provas, sucessos e fracassos de todos os seres humanos em sua vida terrena.

Entrando em outra sala mal iluminada, ajustei meus olhos para uma cena bem diferente. Além da beleza e das experiências que presenciamos nas duas últimas semanas, o que eu via nesse momento valeria por toda a viagem. Empilhados do chão até o teto, talvez a uns dez metros acima da minha cabeça, desaparecendo por corredores escuros e espalhados em prateleiras cobertas de poeira, havia livros. Fileiras e mais fileiras de livros. Alguns estavam arrumados cuidadosamente, alguns estavam jogados uns por cima dos outros, em pilhas desordenadas. Muitos livros estavam tão misturados e desorganizados que era impossível dizer onde acabava uma fileira e começava outra. Notando o meu espanto diante da desordem, o jovem monge começou a falar com Xjinla. Além das exclamações de admiração, eram as primeiras palavras que ouvíamos desde que havíamos entrado na sala. Imagino que ele estivesse dando uma explicação. Xjinla disse:

— Os soldados reviraram este cômodo procurando jóias e ouro.

— Os soldados! — exclamei. — Quer dizer os soldados da revolução de 1959? Certamente outras pessoas entraram aqui depois disso. Isso foi há quase quarenta anos.

— Sim — respondeu Xjinla —, esses mesmos. Outros vieram depois... poucos. Os monges acreditam que os soldados trouxeram má sorte. Os espíritos deles foram aprisionados aqui, retidos pelos protetores.

Procurando por onde começar, entrei num dos corredores. Dirigi a luz da minha lanterna o mais alto possível, até onde a minha vista alcançava; havia centenas de manuscritos, textos impressos e amarrados do modo tibetano tradicional. Cada livro começava com uma capa grande e estreita, de madeira ou couro de animal. As capas duras variavam em tamanho, tendo em média trinta centímetros de comprimento por oito ou nove de largura. Outra capa semelhante formava a parte de cima, com as páginas colocadas entre as duas, em folhas soltas de tecido, papel ou couro de iaque. O texto era amarrado para que as folhas não caíssem. Algumas amarras eram muito elaboradas, com seda e linho de cores brilhantes. Outras vezes eles apenas eram presos com cordões de couro.

O jovem monge assentiu com a cabeça quando estiquei o braço para pegar um dos textos. Eu havia escolhido um livro que já estava desembrulhado, para desarrumar a biblioteca o mínimo possível. Para meu desapontamento, mas não para surpresa do monge, as páginas eram tão delicadas que se desfaziam ao meu toque. O nosso jovem guia estava visivelmente comovido pela nossa animação com a sua biblioteca. Aparentemente poucas pessoas tinham conhecimento de sua existência e ainda menos a visitavam. Perguntei a Xjinla o que havia nos documentos. Eram simplesmente cópias de um único texto, talvez os ensinamentos de Buda? Havia algo mais? A essa altura, o nosso grupo havia-se espalhado. Cada um explorava um corredor diferente, pressentindo que as páginas desses livros antigos continham algo raro e maravilhoso. Sem se virar para o monge, Xjinla repetiu alto a minha pergunta. Sem hesitar, o jovem sorriu. Ele e Xjinla trocaram algumas palavras antes que o tradutor me desse uma resposta.

— Tudo — disse ele. — O monge diz que entre os escritos que estão nesta sala há registros de tudo.

Virando-me para encarar Xjinla, virei a lanterna para que pudéssemos enxergar um ao outro.

— O que quer dizer "tudo"? — perguntei. — O que está incluído em "tudo"?

Xjinla começou:

— Nas páginas destes livros estão escritos os ensinamentos e as experiências que tocaram o povo do Tibete durante séculos. Desde tempos imemoriais, a sabedoria dos grandes místicos foi gravada aqui para ser preservada para as futuras gerações. Nas páginas destes livros, estão as fundações de muitas filosofias, desde os escritos do *Bon* tibetano, do budismo, ensinamentos cristãos e o que foi explicado pelo abade. Tudo está documentado aqui, nos livros que nos rodeiam.

Eu sabia que todos os mosteiros eram um tipo de escola. Escolhida para preservar as tradições secretas, cada escola especializava-se num determinado tipo de sabedoria. A nossa viagem já nos conduzira a mosteiros dedicados ao combate e às artes marciais, por exemplo. Outros preservavam a sabedoria da telepatia e estudos psíquicos, debates ou artes da cura. Essa escola em particular concentrava-se na preservação do conhecimento. Sem preconceitos ou julgamentos, as informações eram simplesmente registradas e armazenadas nas páginas frágeis de inúmeros livros, como os que estavam diante de nós.

Foi por esse motivo que viemos, pensei. *Aqui presenciamos as tradições de oração e tivemos oportunidade de documentá-las por meio de textos escritos por pessoas que praticam essas tradições há quase dois mil anos. Este momento vale por toda a viagem, e estou certo de que há mais!*

Os essênios, em seus textos, referiam-se a uma modalidade de oração que não é citada pelos atuais pesquisadores do assunto. Ali, num frio mosteiro, localizado nas remotas montanhas do Tibete ocidental, eu havia testemunhado essa oração e estava vendo fontes que documentavam sua história e origem. Durante o decorrer do dia, pelas traduções, tive confirmada a minha intuição de que os tibetanos eram a continuidade, pelo menos em parte, de uma linhagem de sabedoria cujos elementos eram mais antigos do que a História. Como eu poderia transmitir essa tecnologia, antiga porém sofisticada, para outras pessoas?

Toda matéria surge e existe apenas
em virtude de uma força que leva
as partículas de um átomo a vibrar e manter
coeso esse diminuto sistema solar que é o
átomo (...). Temos de aceitar
a existência de uma mente consciente
e inteligente por trás dessa força.
Essa mente é a matriz de toda a matéria.

– *MAX PLANCK*

O IDIOMA DE DEUS

A ciência perdida da oração e da profecia

Antigas tradições afirmam que o efeito da oração não deriva das próprias palavras da prece, mas de algo diferente. Talvez seja esse o motivo pelo qual muitas pessoas parecem ter perdido a fé na oração. Depois dos editos bíblicos do século IV, os pormenores subjacentes à *linguagem* da prece, gradativamente foram sendo esquecidos no Ocidente, restando apenas as palavras. Durante essa época, muitas pessoas começaram a acreditar que o poder da oração estava apenas na palavra falada. Mas as revelações contidas em textos anteriores ao século IV nos mostram que não há códigos mágicos de vogais e consoantes que abram as portas para reinos desconhecidos. O segredo da oração está além das palavras elogiosas, das fórmulas mágicas e dos cantos rítmicos aos "poderes existentes". Por meio de escritos como os Manuscritos do mar Morto, somos convidados a *viver a intenção* da prece na nossa vida, pois "se as palavras são pronunciadas apenas com a boca, elas são tão mortas quanto uma colméia... que não produz mais mel".[1]

Proferir a palavra impronunciável

O poder da oração está numa força que não pode ser descrita ou transmitida como palavra escrita — os *sentimentos* que as palavras da oração evocam dentro de nós. É o sentimento das nossas preces que abre a porta e ilumina o caminho para as forças do visível assim como do invisível. Embora outras fontes antigas muitas vezes aludam a esse aspecto da nossa comunhão com a criação, o abade tibetano realmente confirmou a existência do elemento sensorial durante a nossa audiência.

Quando perguntei o que acontecia com os monges e monjas enquanto testemunhávamos a expressão exterior das suas orações, o abade respondeu com uma única palavra: *sentimento*. A expressão exterior da prece que tínhamos visto nos mosteiros do Tibete era uma amostra de movimentos e sons que os religiosos usavam para evocar os sentimentos interiores. Ampliando a resposta um pouco mais, o abade disse que o sentimento era mais do que apenas um *fator* na oração. Ele enfatizou que *o sentimento é a oração*!

Pela nossa comunhão com os elementos deste mundo, temos acesso aos grandes mistérios da vida, a oportunidade de "ver o invisível, ouvir o que não pode ser ouvido e proferir a palavra impronunciável". Em sua forma mais pura, a oração não tem expressão exterior. Embora possamos pronunciar uma determinada seqüência de palavras que nos foi transmitidas através das gerações, elas devem gerar dentro de nós algum tipo de sentimento para tocar o mundo à nossa volta. Na melhor das hipóteses, as palavras de oração que pronunciamos em voz alta estarão apenas próximas do sentimento que elas evocam no interior. Como os grandes mestres puderam transmitir ensinamentos sobre esses sentimentos, há 2 mil anos? Como podemos utilizá-los atualmente?

Durante as minhas palestras sobre a possibilidade de orar, surge muitas vezes uma questão que me faz lembrar de uma conversa que tive com minha mãe há muito tempo. Uma noite, eu falava com ela ao telefone e explicava-lhe acerca de um seminário que eu daria sobre a ciência da compaixão. Quando falei sobre a oração que envolve sentimentos e emoções, minha mãe fez uma pergunta que muitas pessoas fazem, em diversas situações. Com franqueza e inocência, ela disse simplesmente:

— Qual a diferença entre *emoção* e *sentimento*? Sempre pensei que fossem a mesma coisa.

Fiquei interessado em saber o que minha mãe pensava sobre essas experiências, algumas vezes nebulosas, mas que representam algo tão importante em nossa vida. Como era de esperar, a explicação dela assemelhava-se à definição que é geralmente aceita no Ocidente hoje em dia. Por exemplo, alguns dicionários consideram as duas palavras quase como sinônimos perfeitos, utilizando uma para definir a outra. Embora essas definições cumpram a sua função no mundo atual, os antigos faziam uma distinção entre os dois termos. Além disso, embora relacionados, pensamento e sentimento são identificados como elementos distintos e importantes, que podem ser focalizados para efetuar mudanças nas condições, no nosso corpo, no mundo e muito mais.

Assim como em cima...

Num relato de mais de vinte séculos, o povo da Terra Santa perguntava aos seus líderes algo que continua na nossa mente até hoje. Excetuando-se algumas condições específicas, a questão é persistentemente familiar. Em relação à paz no mundo, nossos ancestrais indagavam: "Então, como podemos levar a paz até os nossos irmãos...? Pois desejaríamos que todos os Filhos dos Homens recebessem as bênçãos do anjo da paz.[2] Os mestres essênios tinham uma resposta que ilustrava o papel do pensamento, do sentimento e da natureza grandiosa da oração.

Desafiando a lógica atual, as palavras desse povo nos dizem que a paz é mais do que simplesmente a ausência de agressão e guerra. A paz transcende o fim de um conflito ou uma declaração política. Embora possamos impor uma *aparência de paz exterior* a um povo ou nação, é o *pensamento subjacente* que deve ser mudado para criar uma paz verdadeira e duradoura. Em palavras de cunho surpreendentemente budista e cristão ao mesmo tempo, os mestres essênios diziam que: "Três são as moradas do Filho do Homem... São o seu corpo, seus pensamentos e seus sentimentos (...). Primeiro, o Filho do Homem buscará a paz em seu próprio corpo (...). Depois, o Filho do Homem buscará a paz em seus próprios pensamentos (...). E, então, o Filho do Homem buscará a paz em seus próprios sentimentos."[3]

Os antigos nos proporcionaram um conhecimento eloqüente de um modo de pensar que nos permitiria alterar *o que sentimos no exterior* trabalhando *no que nos tornamos interiormente*. Semelhante em certos aspectos às filosofias ocidentais de tratamentos de saúde, uma escola de medicina opera mudanças atacando as condições da própria doença. Essa abordagem elimina os corpos estranhos por meio de produtos químicos, ou remove cirurgicamente os órgãos e tecidos doentes. Uma segunda escola de pensamento procura além da expressão exterior do corpo os fatores subjacentes que possam ser a origem do problema. Segundo esse modo de pensar, as forças invisíveis do pensamento, sentimento e emoção são o mapa para o entendimento e mudança das condições de vida que não nos servem mais.

Para mudar as condições do mundo exterior, devemos *realmente nos tornar* as condições do nosso desejo interior. Se assim fizermos, as novas condições de saúde e de paz refletir-se-ão no mundo à nossa volta. Essa é a essência da passagem essênia de que falamos anteriormente. Para levar a paz àqueles que amamos neste mundo, temos primeiro de *nos transformar* nessa paz. Na linguagem da sua época, os autores dos Manuscritos do mar Morto até mesmo indicavam a tecnologia que dá origem a essa qualidade terapêutica da paz: ela deve ocorrer nos nossos pensamentos, sentimentos e corpos. Esse conceito é extremamente eficiente e confere poder!

Quando transmito as passagens dos essênios em palestras, observo o rosto dos presentes do meu posto privilegiado na frente da sala. As mudanças começam lentamente. Enquanto algumas pessoas simplesmente anotam as palavras em seus bloquinhos e demonstram pouca emoção, outras animam-se ao perceber o significado dos antigos ensinamentos. Há uma magia que ocorre quando confirmamos o valor de idéias correntes por manuscritos legados por aqueles que andavam nos mesmos caminhos e procuravam as mesmas corroborações há mais de 2 mil anos.

Em seus ensinamentos, os essênios faziam uma clara distinção entre emoção, pensamento e sentimento. Embora estreitamente ligados, pensamento e emoção primeiro devem ser considerados independentemente e depois fundidos numa união de sentimentos que se torna a linguagem silenciosa da criação. As descrições seguintes de cada uma das experiências são a chave que nos levará à essência da modalidade perdida da oração.

EMOÇÃO

A emoção pode ser considerada a *fonte do poder* que nos impulsiona para nossos objetivos na vida. É por meio da energia das emoções que alimentamos os pensamentos que as tornam reais. Mas o poder da emoção, em si mesmo, pode ser disperso e sem direção. É na presença do pensamento que a nossa emoção se direciona, infundindo vida à imagem dos nossos pensamentos.

As antigas tradições dizem que somos capazes de duas emoções primárias. Podemos dizer mais precisamente que, no decorrer da vida, passamos por diversas condições que se resumem numa única emoção. O amor é uma dessas condições. Aquilo que acreditamos ser o oposto do amor é o segundo extremo, por vezes descrito como medo. A qualidade da nossa emoção determina como ela se expressa. Algumas vezes flutuando, outras vezes alojada dentro dos tecidos do corpo, a emoção está em sintonia com o *desejo*, que é a energia que leva a nossa imaginação a produzir um resultado.

PENSAMENTO

O pensamento pode ser considerado o *sistema condutor* que direciona a nossa emoção. É a imagem ou idéia criada pelo nosso pensamento que determina para onde a emoção e a atenção se dirigem. O pensamento está estreitamente associado à imaginação. De maneira surpreendente, o pensamento em si tem pouca energia; ele é apenas uma possibilidade, sem energia para lhe dar vida. Essa é a beleza do pensamento puro. Na ausência da emoção, não existe energia para concretizar os pensamentos. É o dom de pensar, na ausência da emoção, que nos permite modelar e simular inofensivamente as possibilidades da vida, sem criar ou temer o caos. É apenas no amor ou no medo pelos objetos do pensamento que infundimos vida às criações da imaginação.

SENTIMENTO

O sentimento só pode existir na presença do pensamento e da emoção, pois representa a fusão dos dois. Quando sentimos, vivemos o desejo da emoção unido à imaginação dos pensamentos. O sentimento é a chave da oração, pois a criação reage ao mundo dos sentimentos. Quando atraímos ou repelimos pessoas, situações e condições com que deparamos, temos de olhar para os nossos sentimentos para entender o porquê.

Por definição, para que haja um sentimento, temos primeiro de ter um pensamento e uma emoção subjacentes. O desafio de desenvolver o nível mais elevado de domínio pessoal é reconhecer quais pensamentos e emoções são representados como sentimentos.

A partir dessas definições, breves e simplificadas, fica claro por que é impossível evitar experiências assustadoras e dolorosas por meio do pensamento. O pensamento é apenas um dos componentes da nossa experiência, a visão na nossa mente dos resultados possíveis. A dor, todavia, é um sentimento, o produto do pensamento alimentado pelo amor ou medo por aquilo que a mente acredita que tenha ocorrido. Com base nessa fórmula, os mestres essênios nos ensinam a curar as lembranças das experiências mais dolorosas, alterando a emoção da experiência em si.

Como uma antiga base para o moderno axioma "a energia segue a atenção", uma concisa parábola do perdido Evangelho Q descreve esse conceito: "Quem tentar proteger a sua vida, perde-la-á." Essas palavras ilusoriamente breves explicam por que algumas vezes atraímos para a nossa vida experiências que preferíamos não ter. Nesse exemplo, quando nos preparamos e nos defendemos contra cada possibilidade e situação na qual poderíamos perder a vida, o modelo diz que na verdade estamos atraindo a atenção exatamente para essa experiência que procuramos evitar. Ao não desejar algo, criamos as condições que permitem que isso se concretize. Em vez de concentrar a atenção naquilo que não queremos, uma escolha superior seria identificar aquilo que desejamos para nós e viver a partir dessa perspectiva. As afirmações representam um admirável exemplo desse princípio.

Nos últimos tempos, as afirmações tornaram-se muito populares entre os seguidores de alguns ensinamentos espirituais e esotéricos. Essas tradições afirmam que, afirmando várias vezes por dia tudo o que desejamos para a nossa vida, esses desejos se realizarão. Como regra geral, quanto mais simples a afirmação, mais claro o efeito. As palavras de nossas afirmações muitas vezes são ecos dos desejos de mudar de vida, como: "Meu par perfeito está se manifestando para mim agora"; ou: "Tenho abundância agora e nas manifestações futuras."

Conheço pessoas que transformam suas afirmações em uma disciplina séria. Elas começam o dia com adesivos no espelho do banheiro, lembrando-lhes das afirmações. Quando vão para o trabalho, as notinhas estão no painel e no espelho retrovisor do carro. No escritório, na mesa de trabalho, nos murais e grudados na tela do computador estão mais papeizinhos, cada um representando um lembrete vigilante das coisas que elas desejam ter, mudar ou trazer para sua vida.

É claro que as afirmações abriram muitas portas para algumas pessoas. Pela primeira vez elas se sentiram poderosas e responsáveis pelos acontecimentos de sua vida. Para muitos, as afirmações obviamente funcionam. Mas, para outros, não. Depois de meses repetindo inutilmente as afirmações criativas, as pessoas simplesmente deixaram de fazê-las. O antigo modelo de pensamento, emoção e sentimento pode ajudá-las a compreender o que aconteceu ou deixou de acontecer.

Quando a oração não dá resultado

Recentemente, fiz uma pesquisa relacionada com a oração entre os participantes de um seminário. Os resultados da pesquisa foram usados para dar um exemplo atual da natureza da prece para essa determinada audiência. Eu começava perguntando aos presentes: "Quando você reza, o que pede?" Anotei num quadro as respostas e os vários cenários descritos. Depois de seis meses dessas pesquisas informais, entre audiências que representavam uma amostragem de diversos grupos étnicos, geográficos e etários, surgiram quatro tipos principais de prece: por mais dinheiro, empregos melhores, mais saúde e relacionamentos melhores, precisamente nessa ordem.

Orar por	Pensamento	Sentimento	Emoção
1. Mais dinheiro	? ?	? ?	? ?
2. Empregos melhores			
3. Mais saúde			
4. Relacionamentos melhores			

Aplicando o nosso modelo de prece como uma combinação de pensamento, sentimento e emoção, podemos investigar o motivo pelo qual as orações dão resultado e o que acontece quando não funcionam. No topo da lista, por exemplo, o motivo mais comum da oração é a necessidade de ganhar "mais dinheiro". Para podermos rezar *a respeito de* "mais dinheiro", primeiro temos de ter mais percepção sobre o dinheiro que já temos. Preenchendo os espaços à direita, compreendemos melhor a qualidade dessas percepções.

Quando pedi aos presentes que descrevessem seus pensamentos sobre dinheiro quando pediam por mais, as respostas choveram de todos os lados. Obviamente, eram de natureza semelhante. O mais comum era frases como: "Não é suficiente", "Preciso de mais" e "Está acabando". Rapidamente, anotei as palavras na coluna "Pensamentos".

Anteriormente, havíamos identificado o pensamento como o nosso sistema de direção, o programa condutor da energia que movimentamos no mundo. Sem o poder para alimentar o pensamento, ele existirá indefinidamente como uma possibilidade na nossa mente. *O potencial do pensamento na ausência da energia para alimentá-lo é conhecido como desejo.* Para que o pensamento tenha força, temos de outorgar-lhe energia. Talvez seja esse o motivo pelo qual as orações algumas vezes parecem não obter resposta. Na ausência de poder para dar vida às afirmações e preces, elas existirão indefinidamente como um potencial: desejos bem-intencionados.

É o dom da emoção que dá força à possibilidade do nosso desejo. Reconhecendo que podemos escolher o amor ou o medo como a emoção que alimenta o nosso pensamento, quase sempre a necessidade de alguma coisa baseia-se no medo. Quando dizemos que "precisamos de mais", que "não há o suficiente" ou que "está acabando", em geral é o medo que dirige essas declarações. Admitindo que pode haver exceções, coloquei a palavra "medo" no alto da coluna "Emoção". A partir desses elementos aparentemente simples da oração, fica bem claro o mecanismo de como e por que as preces atuam.

Mostrando ao público o resultado da pesquisa, eu fazia uma pergunta:

— Quando fundimos a *emoção* do medo ao *pensamento* de "não termos o suficiente", qual o sentimento que obtemos?

A resposta em geral é o silêncio. Não é surpresa, pois o sentimento é diferente em cada pessoa. A palavra usada para descrever o sentimento não é importante. O que importa é o sentimento em si.

— Vamos — eu perguntava novamente —, o que você sente quando pensa que não tem mais dinheiro e sua emoção é o medo?

— Eu me sinto mal! — falava alguém.

— Eu fico péssimo! — exclamava outro.

— Exatamente! — respondi. — É isso mesmo! Escolhemos as circunstâncias da nossa vida pelos nossos sentimentos, pela união invisível dos nossos pensamentos e emoções. Quando imaginamos o resultado e nos conscientizamos da emoção que alimenta a nossa mente, cria-se o sentimento. Para entender o que criamos, basta olhar para o mundo à nossa volta. Como poderemos criar dinheiro, relacionamentos e saúde se os sentimentos que reforçam a nossa criação são "mal" e "péssimo"? Os sentimentos de inferioridade alimentam a criação com a experiência menos desejável da nossa vida, a sensação de que não somos dignos. Quase todos os presentes já conheciam os princípios do exercício. A novidade era a oportunidade de realmente entender o que acontecia com as orações no passado. Assim começava a nossa cura.

Fazendo esse exercício em conjunto, usando um quadro-negro comum e gastando menos de dez minutos, é possível ilustrar o mecanismo daquilo que talvez seja o maior poder que existe na criação. A alegria de recordar o poder que temos de promover o bem-estar, a abundância, a saúde, a segurança e a felicidade, bem como o prazer de viver, estiveram perdidos para o Ocidente há mais de 1.500 anos. Além de identificar *como* atua a tecnologia interior da oração, agora temos meios de *mudar* os seus elementos para aproveitá-la melhor no futuro.

O público sempre capta imediatamente essa noção. Primeiro, ouve-se um suspiro. Depois, outro, e mais outro, acompanhados por risadas nervosas — talvez um esforço inconsciente para amenizar a intensidade do momento. Olhando para o rosto dos presentes, tenho o privilégio de ver o milagre que acontece.

O caldo da criação

Ao longo dos anos aprendi muitas coisas, com muitas pessoas, em ambientes diversos. Embora cada audiência seja única, exclusiva, elas têm em comum alguns traços aparentemente universais, que ligam cada um dos grupos, em todas as cidades, à experiência comum de uma família. Fazer uma pergunta é um desses traços. Quando alguém cria coragem para fazer uma pergunta, outros presentes estão querendo perguntar a mesma coisa, talvez em nível não-verbal. Algumas pessoas estão conscientes da indagação, mas simplesmente são tímidas demais para falar em público. Outras, depois de ouvirem as palavras, se dão conta de que também já tinham pensado nisso. Eu aprecio esses momentos. A oportunidade de nos relacionarmos e de entender uns aos outros é que dá origem aos grandes momentos da comunicação.

Numa das primeiras oportunidades que tive de apresentar os conceitos sobre a oração num seminário, um homem de 35 anos, sentado bem na frente, deixou escapar um gemido, alto o bastante para chamar a minha atenção! Olhando para ele, vi uma expressão de incerteza no seu rosto. Procurando uma forma de extravasar sua frustração sem ser percebido, o que talvez o deixasse embaraçado, perguntei aos presentes se alguém tinha alguma dúvida.

Ele imediatamente aproveitou a oportunidade. Ele apoiava o cotovelo na mesa que dividia com outras pessoas na sua fila, o queixo sustentado casualmente na palma da mão. Quando caminhei para ele com o objetivo de atendê-lo, colocou o lápis junto ao bloco de anotações. Olhei rapidamente para a página, que estava coberta de notas, diagramas e rabiscos. Deu para notar que ele estivera muito ocupado. Suspirando profundamente, ele começou.

— Já ouvi tudo isso antes — disse ele, com o queixo ainda apoiado na mão. — Tenho andado por esse "caminho" há mais de vinte anos, com muitos mestres. De uma forma ou de outra, todos dizem a mesma coisa. O que você disse não é novidade. Ainda assim, você tocou num ponto em que eu ainda não tinha pensado. Como é que aquilo que sentimos *por dentro* pode ter qualquer efeito no que acontece no mundo *fora* do nosso corpo?

Lembrei-me da conversa que tivera com a minha mãe há alguns meses. A idéia de que algum componente metafísico do pensamento, sentimento ou emoção, possa ter algum efeito sobre o mundo físico de moléculas, átomos e células era o mistério que a minha mãe, como agora esse senhor, tinha-me pedido que esclarecesse. Passei a dar uma explicação que tenho usado muitas vezes como analogia. Ela surgiu com uma experiência que fiz há muito tempo, para provar a mim mesmo os princípios que estávamos discutindo.

— O caldo da criação existe como um estado de possibilidades — comecei. — Todos os componentes de todas as coisas que podemos imaginar, inclusive a própria vida, existem como esse estado de possibilidade. Embora os componentes existam, não houve a "faísca" necessária para iniciar-lhes o movimento. A idéia é semelhante à de fazer cristais de açúcar numa jarra com água e açúcar. Colocamos várias colheres de açúcar na água e observamos como ele se dissolve e desaparece. Embora não possamos mais ver o açúcar, sabemos que ele está escondido em algum lugar na água.

— O açúcar permanece no mesmo estado — invisível — até que alguma coisa aconteça e mude as condições da água. Chamamos a isso de catalisador, algo que dá origem a uma nova oportunidade para o açúcar e a água reagirem. O catalisador pode ser algo simples como colocar um fio de barbante dentro da água. A água saturada de açúcar se infiltra no cordão; depois, ela se evapora, deixando apenas o açúcar. Na ausência da água, o açúcar se cristaliza como se isso fosse uma nova expressão de si mesmo: os cristais brilhantes que obedecem às leis do ar e não às da água. Temperaturas e pressões diferentes representam diferentes leis e produzem cristais diferentes.

— Quando criamos sentimentos sobre o que desejamos viver neste mundo, esses sentimentos são como o barbante na solução de água e açúcar. Dentro das possibilidades de criação, colocamos uma *imagem do sentimento*, a energia apenas suficiente para permitir novas possibilidades. O segredo desse sistema, todavia, é que a criação nos devolve precisamente o que foi mostrado pela imagem. A imagem diz ao caldo da criação onde foi que colocamos a nossa atenção. A emoção que ligamos à nossa imagem atrai a possibilidade desta. Quando "não desejamos" alguma coisa — uma emoção baseada no medo — o nosso medo de fato alimenta exatamente aquilo que não desejamos. Essas leis nos ensinam a fortalecer as nossas escolhas, concentrando-nos em experiências positivas que almejamos, em vez de nos preparar para as coisas negativas que não desejamos. A criação simplesmente nos oferece as conseqüências do nosso sentimento, perpetuando aquilo que mostramos em forma de imagem. Esse é o antigo segredo de um modo de oração perdido, e que foi esquecido por volta do século IV.

Vi a expressão daquele homem mudar. Em alguns segundos, essa experiência simples, reproduzida inúmeras vezes depois, esclareceu uma possibilidade que o havia intrigado durante anos.

Como rezamos?

Depois dos exercícios de afirmação e prece, perguntei aos presentes se eles achavam que suas orações haviam sido ouvidas no passado. Primeiro fez-se silêncio; todos hesitavam em responder. Devagar as pessoas começaram a levantar a mão, para dizer "não" ou "só algumas vezes". Elas me diziam que, quando a oração dizia respeito a dinheiro, emprego, relacionamentos ou professores, a maioria achava que não tinha sido atendida.

A minha próxima pergunta foi "Por quê?" Como podemos compreender a sofisticada tecnologia da oração e como podemos aplicá-la na nossa vida? Para fins de análise, os pesquisadores dividem os diversos métodos e aplicações da oração usados no Ocidente em grandes categorias. Margaret Paloma, por exemplo, professora de sociologia da Universidade de Akron, Ohio, identifica quatro classes, ou modalidades, abaixo descritas:

Prece coloquial
Dirigimo-nos a Deus com nossas próprias palavras, descrevendo informalmente os problemas ou agradecendo pelas bênçãos que recebemos: "Querido Deus, por favor, só desta vez, permita que o meu carro consiga chegar ao próximo posto de gasolina. Eu prometo que jamais deixarei o tanque ficar vazio novamente."

Prece petitória
Neste tipo, invocamos as forças criativas do mundo para o nosso bem, para resultados ou coisas específicas. A prece petitória pode ser formal ou em nossas próprias palavras: "Poderosa presença 'Eu sou', peço que me conceda o direito de me curar."

Prece ritualística
Repetimos uma seqüência predeterminada de palavras, talvez em ocasiões ou épocas especiais. Rezas para a hora de dormir, como "Com Deus me deito, com Deus me levanto", ou orações antes das refeições, por exemplo.

Preces meditativas
Uma prece meditativa é uma oração sem palavras. Na meditação, ficamos calados, quietos, receptivos e conscientes da presença das forças criativas dentro do nosso mundo e do nosso corpo. Na quietude, permitimos que a criação se expresse por nosso intermédio nesse momento.

Para muitos, a prática da meditação está além da esfera da prece. No sentido mais estrito da palavra, se a meditação envolve um pensamento, um sentimento e uma emoção, ela pode ser definida tanto como meditação quanto como oração.

Esses quatro modos, usados individualmente ou combinados entre si, constituem a maioria dos tipos de oração atualmente em nosso Ocidente.

Nos meus contatos com as tradições indígenas e esotéricas, sempre surgiam referências a um tipo de oração que não se enquadra nas categorias acima. Viagens a alguns dos lugares mais sagrados ainda preservados, revelaram uma modalidade de prece reservada para iniciados e discípulos de estudos espirituais. As paredes dos templos egípcios, os costumes dos índios norte-americanos e os curandeiros das montanhas do Peru revelam uma forma de oração que não aparece nas tradições ocidentais. É possível que exista uma *quinta modalidade*, que permita a fusão dos nossos pensamentos, sentimentos e emoções numa única e possante força da criação? Ademais, é essa a força que desencadeia diretamente os processos de cura do nosso corpo e do mundo? Os textos antigos, bem como os estudos modernos, afirmam que sim.

Os exemplos dados de cura do câncer, o desaparecimento do ferimento no pescoço, a compressão do tempo no deserto do Sinai e a misteriosa suspensão dos ataques ao Iraque dão algumas pistas sobre o segredo dessa modalidade esquecida de prece. Por meio da nova compreensão que temos do tempo e dos pontos de escolha, a física quântica abre a possibilidade de cada um desses aparentes milagres ser um resultado já existente. O segredo desse modo de rezar, esquecido pelo tempo, é a alteração da nossa perspectiva de vida, de sentir que o "milagre" já aconteceu e que as nossas preces foram atendidas. Todos os povos nativos têm a memória dessa oração registrada em seus textos sagrados e nas antigas tradições. Agora temos a oportunidade de incorporar essa sabedoria à nossa vida em forma de orações de gratidão pelo que já existe, em vez de pedir que as nossas preces sejam ouvidas.

A oração de David

Puxei mais uma garrafa de água da minha mochila. Eram apenas onze horas da manhã e o forte sol do deserto já havia penetrado no grosso tecido, esquentando a água da garrafa. Durante semanas, ouvimos os avisos: nada de fogueiras, não queimar o lixo. Mesmo um simples toco de cigarro arremessado pela janela do carro poderia acarretar uma pesada multa. Era o terceiro ano de seca no deserto do sudoeste norte-americano. Embora fosse uma época de anormalidades climáticas em todos os lugares, parecia que as montanhas do norte do Novo México estavam sendo particularmente afetadas. Nesse ano, as áreas de esqui não haviam sido abertas e o rio Grande se transformara num fiozinho de água antes de se juntar ao rio Vermelho, perto de Questa.

Ao abrir a garrafa, escapou um pouco de água em volta da tampa. Olhei fascinado quando a água chegou ao chão. Este estava tão seco que as gotinhas se aglutinaram numa poça antes de rolar para uma pequena depressão. Mesmo nesse buraco raso, elas não se espalharam para penetrar no solo. Para meu espanto, toda a poça evaporou-se em alguns segundos.

— O chão está sedento demais para beber — disse David atrás de mim.

— Você já havia visto isso antes? — perguntei.

— Os antigos dizem que já se passaram mais de cem anos desde que as chuvas nos deixaram por tanto tempo — respondeu David. — É por isso que viemos a este lugar, para chamar a chuva.

Eu conhecera David alguns anos antes, antes de ir para o deserto ao norte de Santa Fé. Ambos estávamos empenhados em uma jornada sagrada, longe de casa, da família e dos entes queridos. O povo dele chamava essa viagem de "busca da visão". Para mim era uma oportunidade para fugir dos compromissos corporativos e estar mais perto da terra, uma avaliação periódica que eu fazia quanto ao objetivo e direção da minha vida. Cinco meses depois do nosso primeiro encontro, eu estava morando nas montanhas que tinha procurado anteriormente em busca de solidão. Embora David e eu nos víssemos pouco, quando o fazíamos era como se tivéssemos estado juntos na véspera. Entre nós jamais houve mal-estar ou necessidade de justificar a falta de contato. Sabíamos que tínhamos de dar prioridade aos acontecimentos que exigiam a nossa atenção. Nesse momento, estávamos juntos numa quente manhã de verão no deserto. Depois de um gole da água quente da garrafa, levantei-me e comecei a andar na direção de David. Ele já estava uns vinte passos na minha frente. Eu o segui por um caminho invisível que só ele enxergava. Aceleramos o passo, enquanto passávamos no meio de densas moitas de artemísia e de outros arbustos. Olhei para o chão. Cada passo de David erguia uma pequena nuvem de poeira que desaparecia na brisa quente e seca. Atrás de nós não ficava nem um sinal da trilha que estávamos criando. David sabia exatamente para onde ia: um lugar especial conhecido pelos seus ancestrais há muitas gerações. Todos os anos, eles vinham a esse mesmo lugar em busca de visões, para os ritos de passagem e em ocasiões especiais como a de agora.

— Ali! — disse ele.

Olhei para onde ele indicou. Parecia exatamente igual a qualquer outro lugar, naquela imensidão de sálvia, junípero e pinheiros que nos rodeavam no vale.

— Onde? — perguntei.

— Ali, onde a terra muda — respondeu David.

Estudei minuciosamente o lugar. Por cima da vegetação, meus olhos procuravam irregularidades no espaçamento e na cor. Subitamente, percebi, como uma imagem escondida entre os pontos de um quadro tridimensional. Olhei mais atentamente e vi que a ponta das moitas de sálvia estava espaçada de modo diferente. Caminhando para a aparente anomalia, pude ver alguma coisa no chão, grande e inesperada. Abaixando-me para poder enxergar melhor na sombra projetada pelo meu corpo, distingui uma série de pedras: lindas pedras de todos os tipos, dispostas em linhas geométricas e círculos perfeitos. Cada pedra estava colocada perfeitamente, revelando a precisão com que antigas mãos as dispuseram há centenas de anos.

— Que lugar é este? — perguntei a David. — Por que ele fica aqui, no meio do nada?

— Este é o motivo pelo qual viemos — riu ele. — É por causa do que você chama de "nada" que estamos aqui, hoje. Hoje só estamos aqui você, eu, a terra, o céu e o nosso Criador. Apenas isso. Não há mais nada aqui. Hoje tocaremos nas forças invisíveis do mundo, falaremos com a Mãe Terra, o Pai Céu e os mensageiros intermediários. Hoje rezaremos a chuva — disse David.

Sempre me admiro com a velocidade com que as antigas lembranças podem inundar o presente. Também me espanto com a rapidez com que elas desaparecem. Imediatamente passaram pela minha mente as imagens do que eu esperava que acontecesse em seguida. Minha mente relembrou cenas de preces familiares. Lembrei de ter ido a aldeias vizinhas e ver os nativos vestidos com roupas da terra. Lembrei de tê-los estudado enquanto eles dançavam ritmicamente ao som de bastões de madeira batendo em tambores feitos de peles de alce, esticadas sobre armações de pinho. Mas nenhuma dessas lembranças me preparou para o que eu iria presenciar em seguida.

— O círculo de pedras é uma roda de cura — explicou David. — Ela sempre esteve aqui, desde tempos imemoriais. A roda em si não tem poder. Ela serve de ponto de concentração para quem invoca a prece. Pode-se dizer que é um mapa rodoviário.

O meu espanto deve ter-se revelado na minha expressão. David antecipou o meu pensamento seguinte e respondeu antes que eu tivesse formulado mentalmente a pergunta.

— É um mapa entre os seres humanos e as forças deste mundo — declarou ele. — O mapa foi criado aqui, neste lugar, pois aqui a membrana que há entre os mundos é muito fina. Desde que eu era garoto, aprendi a linguagem desse mapa. Hoje, percorrerei um antigo caminho que leva a outros mundos. Dali falarei com as forças da Terra, para fazer o que nos trouxe aqui: convidar a chuva.

Observei enquanto David tirava os sapatos. Até o modo como ele desamarrava os cordões de suas botas surradas era uma oração — metódico, intencional e sagrado. Com os pés descalços no chão, ele se virou e caminhou para o círculo. Sem dizer nada, deu a volta na roda, tomando muito cuidado para respeitar o lugar de cada pedra. Com reverência pelos ancestrais, ele colocou os pés descalços sobre a terra seca. Em cada passo os artelhos chegavam bem perto das pedras. Nenhuma vez ele tocou nelas. Cada pedra permaneceu exatamente onde as mãos de uma geração muito antiga as havia colocado. Depois de rodear a camada exterior de pedras, David voltou-se e olhei em seu rosto. Para meu espanto, seus olhos estavam fechados. Estiveram fechados o tempo todo. Uma por uma, ele reverenciava cada uma das pedras brancas e redondas, sentindo a posição dos pés! Quando ele chegou novamente no lugar mais perto de mim, ele parou, endireitou as costas e juntou as mãos em posição de oração, na frente do rosto. Sua respiração ficou quase imperceptível. Ele parecia indiferente ao sol do meio-dia. Depois de alguns momentos nessa posição, respirou profundamente, relaxou a postura e virou-se para mim.

— Vamos embora. Nosso trabalho aqui já terminou — disse ele, olhando diretamente para mim.

— Já? — perguntei, surpreso, pois parecia que tínhamos acabado de chegar. — Pensei que você fosse rezar pedindo chuva.

David sentou-se no chão e calçou os sapatos. Olhando para cima, ele sorriu.

— Não, o que eu disse foi que eu iria "rezar a chuva" — replicou. — Se eu tivesse rezado *pedindo* chuva, nada aconteceria.

Nessa tarde, o tempo mudou. A chuva começou a cair subitamente, com alguns pinguinhos no lado leste da montanha. Logo os pingos ficaram maiores e mais freqüentes, até que se formou uma tempestade. Grandes nuvens negras pairavam sobre o vale, obscurecendo as montanhas do norte do Colorado durante toda a tarde e entrando na noite. A água se acumulava mais depressa do que a terra podia absorvê-la e logo o medo de enchentes dos moradores se tornou realidade. Olhei para a vegetação entre o local onde eu estava e as montanhas a leste. O vale parecia um grande lago.

À noite, assisti ao noticiário para saber a previsão do tempo nos canais locais. Foi com uma sensação de admiração respeitosa que vi os mapas coloridos passarem pela tela. Setas animadas indicavam um típico padrão de ar frio e úmido desde o noroeste da costa do Pacífico, cruzando o Estado de Utah e entrando no Colorado, como muitas vezes acontece no verão. Então, inexplicavelmente, a corrente alterou o curso e fez algo inusitado. Observei espantado quando a massa de ar mergulhou com precisão em direção ao sul do Colorado e norte do Novo México, antes de virar bruscamente de novo para norte, retomando seu caminho pelo Meio-Oeste. Com esse desvio, a baixa pressão e o ar frio misturaram-se ao ar quente e úmido que subia do Golfo do México, uma perfeita receita para fazer chover. Pelas previsões, haveria mais chuvas, e fortes. Telefonei a David na manhã seguinte.

— Puxa, que confusão! — exclamei. — As estradas estão alagadas. Casas e campos inundados em toda parte. O que aconteceu? Como você explica essa chuva toda?

David ficou calado algum tempo e depois respondeu:

— Esse é o problema. É essa parte da oração que eu ainda não domino!

No dia seguinte, o chão estava molhado o bastante para receber mais chuva. Atravessei diversas aldeias no caminho para a cidade mais próxima. As pessoas estavam felizes com a chegada das chuvas. As crianças brincavam na lama. Os fazendeiros estavam nas lojas, fazendo compras e movimentando os negócios. A lavoura sofreu poucos danos. O gado tinha bastante água para beber e parecia que o norte do Novo México seria poupado da seca, pelo menos nesse verão.

Gratidão: como insuflar vida nas orações

A história de David ilustra bem o trabalho interior de um modo de orar esquecido pela nossa cultura há quase 2 mil anos. Depois da breve cerimônia dentro da roda de cura, David olhou para mim e disse simplesmente: "Vamos embora. Nosso trabalho aqui já está terminado." Agora, o tempo que passei com ele nesse dia faz mais sentido e tem mais relevância.

Agora eu compreendia o que significava a resposta de David: "Eu vim para rezar a chuva." O final da história pode ser contado com as próprias palavras dele:

— Quando eu era jovem — disse ele —, nossos anciãos me ensinaram o segredo da oração. O segredo é que, quando pedimos alguma coisa, reconhecemos o que não temos. Continuar a pedir apenas dá mais poder àquilo que ainda não aconteceu.

— O caminho entre o homem e as forças deste mundo começa no nosso coração. É dentro do coração que o mundo do sentimento se casa com o mundo do pensamento. Na minha prece, comecei com o sentimento de gratidão por tudo o que é e tudo o que virá a ser. Agradeci pelo vento do deserto, pelo calor e pela seca, pois era assim até agora. Não é bom. Não é mau. Tem sido a nossa magia.

— Então, eu escolhi uma nova magia. Comecei a sentir como seria a chuva. Tive a sensação da chuva sobre o meu corpo. Em pé no meio do círculo, imaginei que estava na praça da aldeia, descalço na chuva. Tive a sensação da terra molhada escorrendo entre os dedos. Senti o cheiro da chuva nas paredes de barro das casas depois das tempestades. Senti como era caminhar nos campos de milho da altura do meu peito, por causa das chuvas tão abundantes. Os antigos nos lembram que é assim que escolhemos o caminho neste mundo. É preciso primeiro ter a sensação daquilo que desejamos que aconteça. É assim que plantamos a semente de um novo caminho. Depois disso — continuou David —, a nossa prece se torna um agradecimento.

— Agradecimento? Você quer dizer, agradecimento por aquilo que criamos?

— Não, não por aquilo que criamos — replicou David. — A criação já está completa. A nossa prece transforma-se em agradecimento pela *oportunidade* de escolher qual a criação que desejamos viver. Por meio da nossa gratidão, respeitamos todas as possibilidades e trazemos ao mundo aquela que queremos.

Do seu modo, nas palavras do seu povo, David repartiu comigo o segredo de comungar com as forças do mundo e do nosso corpo. Embora eu tenha ouvido e compreendido o que ele disse, as suas palavras hoje adquirem um novo significado.

O modo de orar esquecido

Depois dessa experiência com David, voltei aos textos: alguns antigos, outros contemporâneos. Descobri que muitos grupos, organizações e filosofias falavam de um modo de orar esquecido por nós. Alguns ainda continuam a mencioná-lo, sugerindo técnicas para pensarmos "como se as orações acontecessem realmente" ou que "venhamos do lugar no qual a nossa oração é atendida". Mas quando pesquisei essas tecnologias, verifiquei que, em quase todas, faltava o aspecto do sentimento.

Em meados do século XX, um homem conhecido simplesmente como Neville trouxe à baila o modo perdido de rezar, através de seu trabalho pioneiro sobre as leis da causa e efeito. Nascido em Barbados, nas Índias Ocidentais, Neville descreveu eloqüentemente a sua filosofia de tornar os sonhos realidade por meio do sentimento, convidando-nos a "tornar o futuro um fato presente, ao assumir o *sentimento* do desejo realizado".[4] Ademais, Neville sugere que é o amor pelo novo estado que permite que este brote. "A menos que você mesmo entre na imagem e pense a partir dela, ele não é capaz de nascer."[5] O estudo de um caso específico como por exemplo a oração pela paz, poderá ilustrar de forma mais concreta esses conceitos nebulosos.

A maior parte do condicionamento das tradições ocidentais nos leva a "pedir" que a paz surja em circunstâncias específicas no nosso mundo. Ao pedir que a paz se faça presente, por exemplo, estamos involuntariamente reconhecendo a falta de paz no mundo, talvez inadvertidamente reforçando o que pode ser chamado de estado de ausência de paz. Do ponto de vista do quinto modo de rezar, somos impelidos a criar a paz por meio da qualidade do pensamento, do sentimento e da emoção no nosso corpo. Uma vez criada na mente a imagem do desejo e tendo a sensação da realização desse desejo no coração, o fato já terá acontecido! Embora a intenção da oração possa não ser aparente aos nossos sentidos, assumimos que é assim. O segredo desse modo de orar está em reconhecer que, ao sentirmos, o efeito dos sentimentos já terá ocorrido em algum lugar, em algum nível da existência.

A oração, portanto, origina-se a partir de uma perspectiva diferente. Em vez de *pedir* que a nossa prece se realize, reconhecemos a parte ativa que nos cabe no processo da criação e agradecemos por aquilo que estamos certos de haver criado. Quer enxerguemos resultados imediatos ou não, a gratidão que temos reconhece que, em algum lugar da criação, a oração já foi atendida. Assim a prece se torna um agradecimento positivo, alimentando a criação e permitindo que ela desabroche em todo o seu potencial.

Em seguida, comparamos a oração petitória tradicional com essa feita a partir da perspectiva do modo esquecido de orar.

Oração de petitória
1. Concentramos a atenção nas condições nas quais acreditamos não existir a paz.

2. Pedimos a intervenção de um poder superior para que mude as condições.

3. Ao pedir, poderemos estar reconhecendo que a paz e a mudança oportuna ainda não estão presentes nesses lugares.

4. Continuamos a pedir essa intervenção até vermos a mudança realmente acontecer no mundo.

O quinto modo de orar
1. Testemunhamos todos os acontecimentos, aqueles que vemos na ausência da paz, sem julgar se são bons, maus, certos ou errados.

2. Por meio da tecnologia do pensamento, sentimento e emoção, criamos as condições a partir das quais queremos testemunhar o mundo exterior. Por exemplo: "Mudanças oportunas no mundo, redimindo toda a vida e paz em todos os mundos." O sentimento de que isso já está acontecendo dá força à oração e se concentra no resultado. Fazendo assim, criamos uma memória renovada de uma possibilidade maior.

3. Reconhecemos o poder da "tecnologia interior" e assumimos que a oração se realizará; a paz e as mudanças oportunas no mundo já estão presentes.

4. A nossa oração agora consiste em:
    a. reconhecer o que escolhemos,
    b. sentir que já se realizou,
    c. agradecer pela oportunidade de escolher e, assim fazendo, infundir vida à nossa escolha.

Traduções recentes de textos aramaicos originais dão novas informações sobre o motivo de as referências a orações terem sido tão ambíguas. Manuscritos do século XII revelam o grau de liberdade tomado para condensar a estrutura das sentenças e simplificar-lhe o significado. Talvez uma das referências mais óbvias e, ao mesmo tempo, mais sutis seja uma oração que os alunos da Escola Dominical aprendem há muitas gerações.

Esse fragmento do modo de orar esquecido nos estimula a "pedir" que o desejo do coração se realize para que "recebamos" os benefícios da prece, como na exortação familiar: "Peça e receberá." Uma comparação do texto aramaico expandido com a versão bíblica moderna da oração oferece informações importantes sobre as possibilidades dessa tecnologia perdida.

Esta é a versão moderna e condensada:

Se pedirdes a meu pai alguma coisa em meu nome, ele vo-la-á de dar.
Até agora não pedistes nada em meu nome.
Pedi e recebereis, para que o vosso júbilo seja completo.[6]

E esta é a versão aramaica original, traduzida novamente:

Tudo o que pedirdes reta e diretamente (...) de dentro do meu nome, vós o eis de ter. Vós até agora não o fizestes. Pedi sem nenhum motivo oculto e sede rodeados pela resposta. Sede envolvidos pelo que desejais, para que a vossa alegria seja completa. (...)[7]

Essas palavras de outra era nos levam a considerar o modo perdido de orar como uma *consciência que incorporamos*, e não como uma forma prefixada de *ação que realizamos ocasionalmente*. Quando nos exorta a estar "rodeados" pela resposta e "envoltos" pelo que desejamos, essa antiga passagem enfatiza o poder dos nossos sentimentos.

Em linguagem moderna, essa frase eloqüente nos afirma que, para criar um novo mundo, primeiro temos de imaginar que a criação já esteja concretizada. Nossas orações, assim, tornam-se preces de agradecimento por aquilo que criamos, em vez de pedir que os nossos desejos se realizem.

Uma nova fé

Não posso afirmar que a oração de David teve algum papel nas tempestades que vieram depois. Mas o que eu posso dizer é que o tempo no norte do Novo México mudou nesse dia. Depois de semanas de seca, com perda das safras e o gado sofrendo de sede, num dia começaram as chuvas torrenciais que passaram para um padrão de tempestades diárias que só terminaram com as geadas do outono. Além disso, houve uma sincronia entre a alteração inesperada no tempo e a experiência que tive com David. Entre os dois acontecimentos, passaram-se apenas algumas horas. Como podemos provar um acontecimento de tal magnitude e significado?

O povo das aldeias nativas do deserto do Sudoeste não precisa de provas; sem dúvida, eles *sabem* que dentro deles vive o poder de comungar diretamente com as forças criativas deste e de outros mundos. Eles o fazem sem expectativas, sem julgar o resultado de sua comunhão. Se, por exemplo, as chuvas não tivessem começado, David teria considerado a ausência delas como parte de sua oração, e não como sinal de fracasso. A sua prece não impunha condições. Ele não marcou um prazo para o resultado de sua comunhão com as forças da natureza. David dividiu um momento sagrado com os poderes da criação e, por meio de sua prece, plantou a semente de uma possibilidade e agradeceu a oportunidade de criar um novo resultado. A fé inabalável de que a sua prece de fato realizou alguma coisa é o segredo para o reencontro com o modo esquecido de orar. No mundo moderno, muitas vezes, esperamos a gratificação imediata e uma resposta rápida. O tempo de processamento dos computadores atuais é cinqüenta vezes maior do que o dos primeiros, no início dos anos 80, os quais já eram considerados rápidos. Ter de esperar mais do que uma fração de segundo depois de digitar um comando gera ansiedade. Os fornos de microondas reduziram à metade o tempo que a água levava para ferver nos fogões convencionais. Hoje, aguardamos com impaciência enquanto o marcador digital conta os segundos até que a água entre em ebulição. Existe a mesma tendência na espera dos resultados das orações. Se elas não são atendidas imediatamente, achamos que não funcionaram. Os antigos eram mais sábios do que nós.

Quando David "rezou a chuva", ele sabia, sem a menor dúvida, que a sua oração estava convidando uma nova realidade a se fazer presente. Ele também sabia que a prece era apenas uma possibilidade. Talvez o efeito não fosse visível imediatamente. Enquanto nós estávamos ali em cima, no deserto do norte do Novo México, o fato de não vermos a chuva imediatamente não tinha a menor importância para David. Ele estava confiante em sua capacidade para escolher um novo resultado, e essa confiança era natural nele.

A certeza de David, de que havia plantado a semente de uma possibilidade em algum lugar da criação, nos induz a reexaminar uma palavra que perdeu o significado ultimamente. Essa palavra é *fé*. Embora uma de suas definições seja "crença que não repousa em provas lógicas ou evidências materiais", os povos antigos tinham um conceito muito mais amplo dela. Esses conceitos são tão válidos hoje quanto o eram em tempos passados, quando a fé era a chave para a comunicação com as forças invisíveis do nosso mundo.

Por meio dessa visão integrada do nosso papel na criação, *a fé torna-se a aceitação do nosso poder como uma força diretriz na criação*. É essa perspectiva unificada que nos possibilita avançar pela vida, confiando que, por meio das orações, tenhamos plantado a semente de novas possibilidades. A fé faz com que nos asseguremos de que as nossas preces sejam atendidas. Mediante esse conhecimento, elas se transformam em agradecimentos, fazendo com que as nossas escolhas floresçam neste mundo.

Os caminhos do Jardim Infinito
"devem ser percorridos pelo corpo,
pelo coração e pela mente,
como se fossem uma coisa só..."

– *O EVANGELHO ESSÊNIO DA PAZ*

A CIÊNCIA DO HOMEM

Segredos da oração e da cura

No século IV, começou a mudar nossa relação com as forças exteriores, do mundo, e também com as interiores, dentro de nós mesmos. Quando as palavras que confirmavam esses relacionamentos foram expurgadas dos textos que as preservavam, começamos a nos sentir como observadores, *testemunhando* passivamente as maravilhas da natureza e do nosso corpo. Tradições como as dos essênios e dos índios norte-americanos indicam que a nossa ligação com o mundo se estende para além do papel de observadores, lembrando-nos de que fazemos parte de tudo o que vemos. Num mundo tão interligado, é impossível olhar passivamente quando uma folha cai da árvore ou uma formiga corre pelo chão. O próprio ato de observar nos coloca no papel de participantes.

Em 1920, o físico Niels Bohr formulou uma teoria que atesta exatamente essa relação e descreveu uma visão semelhante em termos modernos. Já era fato conhecido que a matéria, no nível atômico, por vezes se comportava estranhamente, contrariando as teorias aceitas. Simplificando, a teoria de Bohr, conhecida como princípio da complementaridade, postulava que o observador de qualquer acontecimento tornava-se parte do evento, *apenas pelo ato de observar*. No pequeno mundo das partículas, a observação adquire maior significado quando "objetos do tamanho de átomos são alterados por qualquer tentativa de examiná-los".[1] Seguindo essa linha de pensamento, fica claro que a ciência moderna busca uma linguagem para descrever a relação de unidade que os essênios utilizavam como base para suas preces.

O fato de nos considerarmos independentes do mundo à nossa volta originou a sensação de separação, uma atitude de "aqui dentro" *versus* "lá fora". Desde a infância, somos levados a crer que o mundo "apenas acontece". Às vezes, ocorrem coisas boas; outras vezes, coisas não tão boas. O mundo parece acontecer em torno de nós, muitas vezes sem razão aparente. Perdemos muito tempo nos preparando para os percalços da vida, montando estratégias para sobreviver e superar os desafios. Novas pesquisas sobre as relações que existem entre a força dos sentimentos e a química do nosso corpo mostram que as implicações de pontos de vista como "nós" e "eles" são muito amplas e, por vezes, inesperadas.

A ciência demonstrou, por exemplo, que sentimentos específicos produzem reações químicas previsíveis no organismo, correspondentes a esses sentimentos. Quando mudamos os sentimentos, a química também muda. Existe de fato aquilo que chamamos de "química do ódio", "química da raiva", "química do amor" e assim por diante. Expressões biológicas de emoção aparecem no corpo, sob a forma dos níveis de hormônios, anticorpos e enzimas presentes no nosso organismo. A química do amor, por exemplo, é uma afirmação da vida, que melhora o sistema imunológico e as funções reguladoras do organismo. Inversamente, a raiva, algumas vezes transformada em culpa, pode expressar-se como uma supressão da reação imunológica.

Em 1995, Glen Rein, Mike Atkinson e Rollin McCraty publicaram um artigo no *Journal of Advancement in Medicine*, sob o título "The Physiological and Psychological Effects of Compassion and Anger", sobre a imunoglobulina salivar A (AIg-S), anticorpo encontrado no muco e que defende das infecções os tratos aéreo superior, gastrointestinal e urinário. A publicação afirmava que "níveis mais elevados de AIg-S são associados à incidência decrescente de doenças infecciosas nas vias aéreas superiores"[2] e concluía que "a raiva produziu um aumento significativo no nível total de perturbação de ânimo e da taxa cardíaca, mas não nos níveis de AIg-S. *Por outro lado, as emoções positivas produziram um aumento significativo dos níveis de AIg-S*. Examinando seus efeitos durante um período de seis horas, observamos que a raiva, em oposição ao carinho, produziu uma inibição do AIg-S, de uma a cinco horas depois da experiência emocional"[3] (os grifos são meus). Estudos posteriores apontam que algumas qualidades específicas da emoção são um fator decisivo no controle da hipertensão, da insuficiência cardíaca congestiva e de doenças da artéria coronária.

Quando vivemos como se o mundo "lá fora" estivesse separado de nós, abrimos a porta para um sistema de crenças de julgamentos e para as expressões químicas desse julgamento no nosso corpo. Assim, enxergamos o mundo em termos de "germes bons" e "germes ruins", e usamos palavras como "toxinas" e "resíduos" para descrever os subprodutos das próprias funções que nos garantem a vida. É num mundo assim que o nosso corpo se torna uma zona de combate para forças antagônicas, criando campos de batalha biológicos que se apresentam como males e doenças.

Por outro lado, a perspectiva holística dos essênios considera todas as facetas do nosso organismo como elementos da mesma força divina e sagrada que se move através da criação. Cada faceta é uma expressão de Deus. Num mundo no qual tudo o que podemos conhecer e sentir tem origem nessa fonte única, as bactérias, germes e subprodutos do nosso corpo trabalham em conjunto para permear-nos de força e vida. Essa visão nos leva a considerar as lágrimas, a transpiração, o sangue e os produtos da digestão, que consideramos "resíduos", como elementos sagrados da Terra que nos serve, em vez de detestáveis subprodutos que devem ser eliminados, descartados e destruídos.

Por que orar?

A voz vinha de algum lugar lá no fundo da sala. Virei-me para a esquerda, procurando localizar quem havia feito a pergunta. Do palco eu podia ver os participantes desse programa de três dias. Sempre considerei um privilégio e um sinal de confiança poder falar para uma audiência. Um aspecto importante do respeito ao público é aceitar as perguntas que sempre surgem depois de uma conferência significativa. Olhei para os rostos voltados para mim. As luzes fortes iluminavam as primeiras filas. No fundo da sala, as fileiras se fundiam numa escuridão que se estendia até às paredes que eu não conseguia enxergar. A única luz visível na sala eram os avisos de saída de emergência.

— Quem fez essa pergunta?

Guiando-me pelas pessoas que apontavam para a esquerda, desci da plataforma e andei pelo corredor, procurando um contato visual. Um assessor com um microfone veio ao meu encontro na fileira assinalada.

— Estou aqui — disse uma voz fraquinha.

— Muito bem — respondi. — Estou vendo você agora. Qual o seu nome?

— Evelyn — murmurou a vozinha timidamente ao microfone. — Meu nome é Evelyn.

— Evelyn, quer por favor repetir a pergunta?

— Claro — replicou ela. — Eu perguntei apenas: "Por que orar?" Qual a vantagem disso?

Eu tinha ouvido a pergunta de Evelyn. Pressenti a inocência por trás da indagação, enquanto os meus ouvidos registravam as palavras. O papel e a importância da oração eram temas comuns nos círculos dos meus amigos. Em conferências e vigílias de longa distância, coordenadas pela Internet, discutíamos as origens, aplicações e técnicas da oração. Muitas vezes as nossas conversas eram dirigidas especificamente aos acontecimentos globais do momento. No entanto, segundo consegui lembrar, jamais havíamos discutido o verdadeiro *propósito* da prece. Evelyn estava desempenhando bem o seu papel. Ao fazer essa pergunta, ela me induzia a procurar, bem no fundo do meu ser, a resposta para algo que jamais me havia sido questionado.

Era um momento raro. De algum modo, a pergunta dela abriu caminho entre as sentinelas da lógica e da razão, introduzindo-se na realidade do momento. Eu não tinha idéia do que dizer. Em resposta à pergunta de Evelyn, comecei a falar, confiando implicitamente no processo que se desenrolava entre nós. Uma por uma, as palavras se precipitaram da minha boca no instante mesmo em que eram formadas. Embora eu não estivesse particularmente surpreso, fiquei atento ao processo, à facilidade com que cada palavra fluía e com a concisão da minha resposta.

— A oração — comecei — é para nós o que a água é para uma semente.

Isso era tudo! A minha resposta era algo completo. O silêncio caiu sobre a sala. Juntos, a audiência e eu fizemos uma pausa para considerar a força e a simplicidade dessas poucas palavras. Pensei sobre o que eu havia dito. A semente de uma planta é um todo, completa em si mesma. Em condições favoráveis, uma semente pode sobreviver por centenas de anos sob esta forma: uma concha rígida protegendo uma possibilidade maior. Apenas na presença da água ela realizará a maior expressão da sua vida.

Somos como uma semente. Chegamos a este mundo como um todo, completos em nós mesmos, carregando a semente de algo maior. No decorrer dos desafios da vida, o tempo que passamos com os semelhantes desperta no nosso interior grandes possibilidades de compaixão e amor. É na presença da oração que desabrochamos em todo o nosso potencial.

Um sorriso se abriu no rosto de Evelyn. Senti que ela já conhecia a resposta que tão magistralmente extraíra de mim. Era como se ela soubesse que todos na sala se beneficiariam ouvindo as palavras que, aparentemente, eu não pronunciaria nesse dia. No começo do século XX, o profeta e poeta Kahlil Gibran afirmou que o trabalho que realizamos na vida é o nosso amor tornando-se visível. Com a coragem de levantar-se entre centenas de pessoas, a maioria das quais desconhecidas, e falar timidamente ao microfone, Evelyn conseguiu que eu desse uma resposta que serviu para todos nós nesse momento. Desde esse dia, essas mesmas palavras tocaram muitas pessoas, em muitos lugares diferentes. Nesses momentos, Evelyn e eu fizemos bem o nosso trabalho: tornar visível o amor.

Além das palavras

Quando eu era criança, rezava muito. Fazia minhas orações do jeito que aprendera, antes das refeições, na hora de dormir, nos dias santos e em ocasiões especiais. Era nesses momentos que eu podia agradecer pelas coisas boas da vida e pedir respeitosamente a Deus que mudasse as condições que me feriam ou que causavam sofrimento a outros. Muitas vezes, eu rezava pelos animais. Sempre senti uma ligação especial pelo reino animal e tomava a liberdade de dividir o espaço de que dispunha com qualquer bicho selvagem que encontrasse nas imediações de casa, no norte do Missouri. Não podendo trazê-los para dentro, meus amigos animais disputavam o espaço na garagem com a caminhonete. Sempre se podia encontrar pelo menos algum espécime de quase todo tipo de animal nesse santuário-garagem, que a minha mãe chamava de "zoológico".

Eu achava que minha casa era um tipo de refúgio, um abrigo, até que seus habitantes pudessem voar, correr, nadar ou se arrastar de volta ao seu ambiente natural. Algumas vezes, os animais estavam doentes ou feridos. Eu os encontrava no mato, abandonados, com ossos quebrados, bicos feridos ou membros machucados. Agora percebo que alguns dos meus hóspedes simplesmente não conseguiam fugir dos meus bem-intencionados "salvamentos".

Eu colocava cada animal em seu hábitat especial — recipientes individuais, vidros e banheiras velhas — e com uma etiqueta na qual eram discriminados a espécie, o local onde fora encontrado e seus alimentos favoritos. Tentando me explicar por que alguns animais eram abandonados pela própria espécie, meus familiares e amigos diziam que "a natureza é assim". Eu pensava: "Mas a natureza precisa de alguma ajuda. Tudo o que esse animal precisa para sarar é passar alguns dias em lugar seguro, com a alimentação adequada." Meu raciocínio era que, depois de uma breve recuperação, o animal poderia retornar para o mato para enfrentar a vida. Não era importante para mim se vivessem apenas mais um dia ou muitos anos. O que importava era que o sofrimento deles terminasse. Mesmo que a criatura servisse de refeição a outro animal no dia seguinte, nesse meio-tempo ela seria forte, saudável e estaria livre do sofrimento.

Todas as noites eu rezava pelos meus animais: pela segurança deles, pela sua cura, pela sua vida. Algumas vezes, a oração funcionava, outras não. Eu jamais entendi por quê. Se Deus estava em toda parte nos ouvindo, por que não respondia? Se ele ouvia todas as minhas preces e atendia algumas em certas ocasiões, por que ele se recusava a fazer o mesmo por outro animal, em outra ocasião? Essas inconsistências não faziam sentido para mim.

Continuei a rezar quando cresci. Embora acreditasse estar rezando de forma mais adulta, os temas eram os mesmos. Eu ainda me dirigia aos "poderes existentes" pedindo pelos animais da minha vida. Pelos selvagens, por aqueles que tinham sido atropelados na estrada, eu pedia para eles as bênçãos de uma viagem segura e paz no outro mundo.

Embora eu também rezasse pelas pessoas, nessa época as orações pelos outros já não se limitavam ao círculo dos familiares e amigos. Muitas vezes eu rezava por pessoas que nem conhecia. Para mim elas eram apenas rostos sem nome que passavam pela tela da nossa TV em preto-e-branco ou nas páginas de revistas. Eu pedia pela vida de animais e pessoas igualmente, que fossem salvos daquilo que os feria.

Finalmente, meus sentimentos para com a oração começaram a mudar. O que mudara especificamente eram *os sentimentos que eu tinha enquanto rezava*. Percebi que faltava alguma coisa. Embora a solenidade do momento fosse reconfortante, eu sempre achava que deveria haver mais. Muitas vezes eu percebia uma sensação persistente no meu íntimo, um sentimento antigo de que a oração que eu havia acabado de fazer era apenas o começo de algo maior. Eu sentia que há ocasiões em que nos sentimos mais próximos das forças que regem o mundo e dos outros. Sem religião ou rituais, eu percebia que a própria oração era o segredo dessa proximidade. Em algum lugar das memórias ancestrais, eu sabia que deveria existir algo mais na linguagem silenciosa que nos permitiria comungar com as forças deste e de outros mundos.

No início dos anos 90, tive um primeiro vislumbre do motivo pelo qual as minhas preces pareciam incompletas. A pista surgiu inesperadamente quando eu manuseava uma cópia de um texto antigo que me fora dada por um amigo. O que destacava esse documento de outros parecidos era que o tradutor havia recorrido à linguagem original em vez de repetir as palavras de outros eruditos, possivelmente distorcidas com o tempo. Ali, em traduções diretas dos antigos manuscritos aramaicos, estavam os pormenores de como fundir os três componentes da oração numa força única e magnífica.

O texto que o meu amigo me deu fora compilado por um renomado estudioso, Edmond Bordeaux Szekely, neto de Alexandre Szekely, que estruturou a primeira gramática da língua tibetana, há 150 anos. Utilizando a versão aramaica original dos Evangelhos, a tradução de Szekely mostra a rica linguagem das orações e histórias oferecidas por Jesus e seus discípulos. Embora não estivesse surpreso, fiquei admirado com a clareza com que essas traduções ilustravam os ensinamentos e a ciência da oração. Uma nova análise desses trabalhos, sob o ponto de vista da física quântica, revela sutilezas que foram perdidas nas diversas traduções ao longo dos anos.

Pelos olhos dos autores aramaicos, por exemplo, o caminho tomado por um determinado curso de acontecimentos na nossa vida é uma questão de perspectiva. Quer consideremos a história global ou uma cura pessoal, os antigos estudiosos nos lembram de que todas as possibilidades já foram criadas e estão presentes. Em vez de *forçar soluções para os acontecimentos da nossa vida*, podemos *escolher* a possibilidade com a qual nos identificamos, e viver como se ela já tivesse ocorrido. É claro que isso não quer dizer que tenhamos que impor aos outros a nossa "vontade" sob a forma de orações. Significa, isto sim, que a nossa intenção de dar lugar a todas as possibilidades, sem julgar nenhuma delas, e saber que tanto poderemos atrair quanto repelir cada uma, por meio das escolhas que fazemos, é que constitui a sutil diferença. Preferir um dos resultados por meio da oração não garante que ele se realize; a prece simplesmente abre a porta para essa possibilidade. A pergunta agora é: Como poderemos focalizar uma determinada conseqüência por meio da oração?

Quando três se tornam um

Sabemos, por meio de seus escritos, que os antigos essênios acreditavam que podemos nos comunicar com o mundo por meio de nossas percepções e sentidos. Todos os pensamentos, sentimentos, emoções, respirações, nutrientes e movimentos, ou combinações deles, eram consideradas expressões de oração. A partir da perspectiva dos essênios, enquanto sentimos, percebemos e nos expressamos durante o dia, estamos em constante oração.

Os textos nos lembram, por meio da graça poética e das poderosas metáforas do seu tempo, que o nosso corpo, coração (sentimentos) e mente atuam juntos, da mesma forma que a charrete, o cavalo e o cocheiro.[4] Embora considerados separadamente, esses três elementos trabalham em conjunto para formar a nossa experiência de vida. Nessa analogia, a charrete é o corpo e o cocheiro, a mente. O cavalo representa os sentimentos do nosso coração, o poder que carrega a charrete e o cocheiro pela estrada da vida. Por meio da força do corpo físico, da sabedoria das experiências do coração e da pureza de nossas intenções é que determinamos a nossa qualidade de vida.

Se a oração for, de fato, a linguagem esquecida por meio da qual selecionamos os resultados e as possibilidades da vida, cada momento pode ser considerado uma oração, num sentido bem real. Em cada momento da vida, acordados ou dormindo, estamos continuamente pensando, sentindo e tendo emoções, contribuindo para os objetivos do mundo. O segredo é que algumas vezes essas contribuições são diretas e intencionais, enquanto que, em outras ocasiões, podemos estar participando indiretamente, sem mesmo ter consciência disso.

As experiências desse tipo podem ser descritas pelas pessoas que sentem que a vida "apenas acontece" a elas. Quem passa por isso, muitas vezes sente que é só um "espectador", apenas observando os processos da vida que ocorrem à sua volta, aos seus amigos, à família e aos seres amados — até mesmo à própria Terra. Esses sentimentos vão do assombro e admiração diante do nascimento de um bebê até à sensação de desamparo com a trágica perda de vidas nas guerras e desastres naturais. Observar os horrores sofridos pelos refugiados expulsos de suas casas na crise de Kosovo em 1999, ou a violência dos assassinatos em massa numa escola, são exemplos desses momentos de impotência.

Alguns textos recentemente traduzidos, uns com mais de 2 mil anos, indicam outra forma de participar ativamente, de se "fazer alguma coisa" durante essas experiências. Reconhecendo o poder da oração silenciosa, os antigos descrevem uma forma de prece conhecida hoje como "oração ativa". À medida que os componentes da oração se fundem, obtemos uma ponte para a linguagem da criação. Por meio dessa ponte podemos escolher o resultado final de uma dada situação, entre uma série de possibilidades. Quinhentos anos antes do nascimento de Jesus, os mestres essênios já procuravam focalizar o poder dos elementos da oração individual: pensamentos, sentimentos e emoções, por meio do coração, da mente e do corpo — num único resultado. A chave para esse domínio resume-se numa única passagem: "Os caminhos pelo Jardim Infinito são sete, e *cada um deve ser percorrido pelo corpo, pelo coração e pela mente, como se fossem uma coisa só* (...)."[5] É essa força unificada da linguagem celestial, expressa por meio do nosso corpo, que insufla vida às nossas orações e assegura: "...que todo o que disser a este monte: Tira-te, e lança-te no mar, e isto sem hesitar no seu coração, mas tendo fé de que tudo o que disser sucederá, ele o verá cumprir assim."[6]

Consideremos os efeitos da prece por meio de um modelo simples. Há mais de cinqüenta anos, em 1947, o dr. Hans Jenny desenvolveu uma nova ciência para analisar a relação entre vibração e forma.[7] Em estudos bem documentados, ele demonstrou que as vibrações produzem geometria. Em outras palavras, criando uma vibração num material que possamos ver, o padrão da vibração torna-se visível nesse meio. Quando mudamos a vibração, o padrão também muda. Quando voltamos à vibração original, reaparece o padrão original. Em experiências com várias substâncias, o dr. Jenny produziu uma espantosa variedade de padrões geométricos, alguns muito simples, outros bem complexos, em materiais como água, óleo, grafite e enxofre em pó. Cada um dos padrões era simplesmente a forma visível de uma força invisível.

Por meio desses testes, o dr. Jenny provou, sem sombra de dúvida, que a vibração causa um padrão previsível na substância na qual é projetada. *Pensamento, sentimento e emoção são vibrações.* Da mesma forma que as vibrações nas experiências do dr. Jenny, as vibrações dos pensamentos, dos sentimentos e das emoções criam uma perturbação na "matéria" na qual são projetados. Projetamos as nossas vibrações na substância refinada da consciência, em vez de fazê-lo na água, no enxofre ou no grafite. E cada uma dessas vibrações surte um efeito.

No capítulo 4 falamos da hipótese de que o nosso futuro já existe como uma entre muitas "possibilidades", adormecidas na sopa da criação. À medida que fizermos novas escolhas a cada dia, estaremos despertando novas possibilidades e sintonizando o resultado final. Isso significa que, cada vez que *pedimos* alguma coisa numa oração, existe uma possibilidade na qual a nossa prece *já foi atendida*. Se essa visão de mundo estiver correta, no "zoológico" da garagem na minha infância, por exemplo, cada bico machucado, membro ferido e osso quebrado era um resultado possível naquele momento. No mesmo instante, existia outro resultado, no qual todo animal sob meus cuidados já estava curado. Todos os resultados já existiam. Cada possibilidade era real.

O segredo de selecionar um entre muitos resultados possíveis é a nossa capacidade de sentir que a escolha já se realizou. Portanto, de nossa definição anterior de oração como "sentimento", somos levados a procurar a qualidade do pensamento e emoção que produzem um sentimento — viver como se a nossa prece já tenha sido atendida. Pois como poderemos usufruir dos efeitos de nossos pensamentos e emoções, se cada padrão se move numa direção diferente? Se, por outro lado, os padrões da nossa oração se concentram num só, como a "matéria" da criação poderá deixar de responder à nossa prece?

Se pensamento, sentimento e emoção não estiverem sintonizados, um deles poderá estar em desacordo com os demais. Embora possam haver pequenas áreas de sobreposição, grande parte do padrão estará desfocado, movendo-se em direções diferentes, independentemente do resto do padrão. O resultado é uma dispersão de energia.

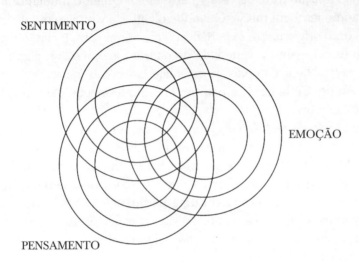

Figura 1. Pensamento, sentimento e emoção como padrões desalinhados. Sem união, eles perdem o foco.

Se, por exemplo, o nosso pensamento for: "Eu quero o parceiro perfeito em minha vida", libera-se um padrão de energia que expressa esse pensamento. Qualquer sentimento ou emoção que não esteja sincronizado com esse pensamento é incapaz de dar força à nossa escolha de ter o parceiro perfeito. Se eles estiverem desalinhados devido a sentimentos de que não somos merecedores de ter um parceiro perfeito, ou por causa de sentimentos de medo, os nossos padrões impedirão que a escolha se transforme em resultado. Nessa falta de sintonia, indagaremos por que as nossas afirmações e orações não funcionaram.

Por meio desses exemplos simples, fica claro por que a oração pode efetuar grandes mudanças quando os elementos da prece estão concentrados e alinhados entre si.

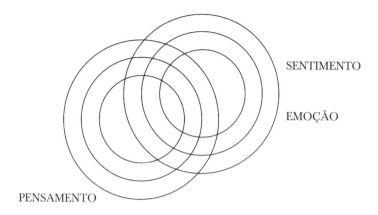

Figura 2. Pensamento desalinhado em relação ao sentimento e à emoção. Esse estado faz com que a oração se disperse e não seja eficaz.

Sem usar a palavra *prece*, e certamente de forma menos técnica, a idéia de unificar pensamento, emoção e sentimento, e viver segundo o desejo do nosso coração, foi formulada no início do século XX numa linguagem diferente. Reafirmando o uso do quinto modo de oração, ou seja, de que a prece já tenha sido atendida, Neville afirma o seguinte: "Temos de nos abandonar mentalmente ao desejo realizado no nosso amor por esse estado, e, assim fazendo, viver no novo estado e não mais no estado antigo."[8] Embora eficiente, a descrição de Neville de nossa capacidade de mudar os resultados e escolher novas possibilidades para nossa vida não fazia muito

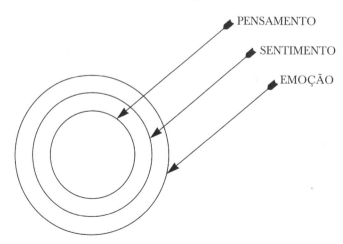

Figura 3. "...todo o que disser a este monte: Ergue-te, e lança-te no mar, e isto sem hesitar no seu coração, mas tendo fé de que tudo o que disser sucederá, ele o verá cumprir assim." (Marcos 11.23). O segredo para a oração bem-sucedida é a união de pensamento, sentimento e emoção.

sentido para as pessoas do início do século XX. Como aconteceu com outros pensadores cujas idéias estavam muito à frente do seu tempo, pouco se sabia sobre o trabalho de Neville até a sua morte, em 1972.

Idéias como essas nos permitem considerar a oração como uma linguagem e uma filosofia, que liga os mundos da ciência e da espiritualidade. Como outras filosofias, que são expressas em palavras exclusivas e termos especializados, a oração tem um vocabulário próprio na linguagem silenciosa do sentimento. Algumas vezes, uma idéia que faz sentido para nós em uma linguagem, não tem significado em outra linguagem com a qual não estamos familiarizados. Mesmo assim, a linguagem existe.

A filosofia da paz pode ser expressa por meio de linguagens tão diferentes como a física e a política, bem como na oração. Na física, por exemplo, a paz pode ser descrita como ausência de movimento num sistema. Nessa linguagem, quando freqüência, velocidade e comprimento de onda chegam a zero, o sistema está em repouso e temos a paz. Na política, a paz pode ser interpretada como o fim de uma agressão ou a ausência de guerra. As nossas preces podem ser interpretadas da mesma forma.

Por meio da linguagem da oração, a paz pode ser descrita, na verdade, como uma equação, trazendo a prece mais para perto da ciência do que julgamos possível. Mas, em vez de equações com números e variáveis, a lógica, o sentimento e a emoção são os componentes da equação da oração. Sob a forma de uma prova matemática normal — *se* isso se der desta forma, *então* o resultado será desta outra — a nossa equação da oração será a seguinte:

Se
pensamento = emoção = sentimento,
então
o mundo refletirá o efeito da oração.

Na presença dessa união, as forças da tecnologia interior podem ser focalizadas e aplicadas ao mundo exterior. Quando sintonizamos os componentes da oração, estamos falando a linguagem silenciosa da criação — a linguagem que move montanhas, acaba com as guerras e dissolve tumores.

A beleza da oração está no fato de que não é necessário saber precisamente como ela atua para obter os benefícios de seus efeitos milagrosos. Nessa tecnologia universal, somos simplesmente estimulados a viver, sentir e reconhecer o que os sentimentos estão dizendo. As orações se tornam vivas quando nos concentramos no *sentimento* do desejo do nosso coração e não no *pensamento* do mundo conhecido.

A chave perdida

Eu sabia que a resposta estava em algum dos textos que me rodeavam. Em algum lugar nos livros, papéis, documentos e manuscritos espalhados pelo chão havia palavras escritas pelos antigos mestres há mais de 2 mil anos, exatamente para momentos como este. Eles sabiam que, em alguma geração futura, surgiriam as mesmas perguntas feitas aos sábios do primeiro milênio d.C. Embora o mundo pudesse ser diferente, as perguntas seriam iguais, indagando sobre a nossa relação com o cosmo, com o Criador e com as outras pessoas. Eles sabiam, especificamente, que as pessoas do futuro chegariam a um ponto do desenvolvimento em que as conquistas do seu mundo fariam com que eles se lembrassem da própria fundação da natureza humana e recuperassem a essência da vida. Eu sabia que havia pistas sobre uma antiga linhagem de sabedoria, deixadas para nós exatamente para um momento desses.

Eram duas horas da manhã. Eu estivera sentado no chão durante horas, examinando os documentos que me rodeavam. Levantei-me e fui até uma das janelas que se abriam para o deserto. Na paisagem escura, mal conseguia distinguir a montanha ao norte, erguendo-se a mais de seiscentos metros acima do vale. Respirando profundamente, voltei para o centro do cômodo pentagonal, o maior da propriedade. Olhando para o teto, mais uma vez pensei no mistério das vigas que surgiam em cada uma das paredes, voltadas para cima e encontrando-se num ponto acima do centro da sala. Além dessas vigas de pinho, não havia sinal de outro apoio para o teto. Sempre admirei a forma como cada viga, de vinte centímetros de largura, estava presa às paredes de barro, de sessenta centímetros de espessura, para sustentar o forro. A estrutura proporcionava um espaço sagrado. Sempre senti como se estivesse no ventre da Terra dentro do "domo", como era chamado por algumas pessoas do vale. Era um lugar perfeito para uma noite como aquela.

Respirando profundamente, voltei ao meu lugar no chão. Eu havia passado diversas semanas juntando fragmentos para formular uma compreensão que descrevesse aquilo que eu imaginava serem os elementos de uma ciência perdida para o Ocidente há quase 1.700 anos. Pegando um documento que eu já havia visto centenas de vezes, mais uma vez virei as páginas. Subitamente, meus olhos se concentraram numa seqüência de palavras que haviam passadas despercebidas há pouco. Alguma coisa nesse determinado agrupamento, um padrão de palavras, chamou a minha atenção. Provavelmente eu já me deparara com essas palavras anteriormente. Mas desta vez elas pareciam diferentes e comecei a folhear as páginas, procurando palavras familiares. Abaixo da metade da página, encontrei. O texto trazia uma tradução de uma antiga língua do Oriente Médio para o inglês. Foi ali que encontrei a chave que procurava: a palavra "paz": "Como, então, podemos levar a paz aos nossos irmãos(...), pois desejaríamos que todos os Filhos dos Homens recebessem as bênçãos do anjo da *paz*?"[9]

O texto que eu tinha nas mãos refletia uma questão de dois mil anos, uma pergunta muitas vezes repetida hoje em reuniões públicas. Como poderíamos alimentar os famintos, acolher os desabrigados, curar os doentes e acabar com as guerras e o sofrimento? Embora a ajuda humanitária, soluções militares e frágeis tratados possam minorar as expressões de sofrimento no nível físico, e é importante que o façam, o segredo para uma mudança permanente advém da mudança no pensamento que faz com que essas formas de sofrimento continuem a existir. Talvez em resposta às mesmas perguntas que os pesquisadores modernos fazem hoje, os visionários e escribas do passado nos legaram a sua compreensão, explicando como fazer para que o poder da prece atue sobre os desafios da sociedade.

As atuais práticas religiosas e espirituais nos pedem para entretecer a oração no tecido da vida. Mas não sabemos como. Na melhor das hipóteses, as instruções bem-intencionadas são vagas, inexatas e nebulosas.

Em textos carregados de uma sabedoria anterior à nossa História, encontramos os pontos importantes dessa eficiente tecnologia, perdida há muito tempo. Depois de identificar os elementos do pensamento, sentimento e emoção, os essênios nos mostraram como fundir os três componentes em uma aplicação concentrada! Eles o fazem identificando um denominador comum que liga o fim do sofrimento com a sintonização dos elementos da oração. Esse fio pode ser descrito com as próprias palavras dos mestres:

Primeiro, o Filho do Homem procurará a paz em seu próprio corpo; pois seu corpo é um lago na montanha que reflete o sol quando ele ainda está claro e límpido. Quando ele está cheio de lama e de pedras, ele não reflete nada.

Depois, o Filho do Homem procurará a paz dentro de seus próprios pensamentos (...). Não existe poder maior no céu e na terra do que os pensamentos do Filho do Homem. Embora invisível aos olhos do corpo, cada pensamento tem uma força imensa, força capaz de sacudir os céus.

Depois o Filho do Homem procurará a paz em seus próprios sentimentos. Chamamos o Anjo do amor para entrar em nossos sentimentos, para que sejam purificados. E tudo o que antes era impaciência e discórdia, se transformará em harmonia e paz.[10]

Eis as palavras! Essas eram as pistas que os essênios haviam deixado para as futuras gerações. Eles não apenas dividiram conosco tudo o que a oração pode proporcionar para a nossa vida, como também abriram caminho para as possibilidades da prece que a ciência ocidental explica como "milagres". Sabendo que chegaríamos a um ponto da nossa evolução em que teríamos de definir novamente o papel da tecnologia no mundo, eles nos deixaram a chave para afirmar a vida dentro da ciência e do mistério da própria vida. O segredo deles é o antigo código da paz. Sutil e enganosamente simples, o poder do modo perdido de orar encontra-se dentro de um quadro de paz!

Virei as páginas animadamente, procurando a confirmação: talvez uma pista oculta descrevendo o papel que a paz representa nos dias de hoje. Excedendo as minhas expectativas, as palavras quase pularam do meio da página seguinte: "Procura o Anjo da *paz* em tudo o que vive, em tudo o que fizeres, em cada palavra que disseres. Pois a *paz* é a chave para todo o conhecimento, para todos os mistérios e para toda a vida."[11]

Nas tradições do seu tempo, a palavra essênia para "anjo" pode ser traduzida de várias maneiras, inclusive "poderes ou forças existentes". Tendo isso em mente, as palavras poder ou força podem substituir a palavra anjo para as pessoas que acham que anjo é um termo religioso ou cristão. É claro que a tecnologia oferecida pelo dom da prece transcende toda orientação secular ou religiosa. Os essênios parecem estar descrevendo uma tecnologia universal, que, em alguns casos, data de quinhentos anos antes de Cristo. Revelando-se em todos os aspectos da vida, mesmo os momentos de saudação ou despedida eram considerados pelos essênios como oportunidades para confirmar o poder da paz em seu mundo. As últimas palavras proferidas entre a irmandade dos essênios eram: "A paz esteja contigo."

Agora as peças se encaixam. Por meio dessas palavras, na linguagem de sua época, temos uma visão de uma tecnologia sofisticada, muitas vezes ignorada no mundo ocidental. Transcendendo os circuitos eletrônicos e *chips* dos aparelhos modernos, a tecnologia da oração baseia-se em componentes tão sofisticados que ainda não foram reproduzidos nas nossas máquinas. Esses elementos são a lógica e a emoção, fortalecidos pelo sistema operacional da paz!

Enquanto marcava as páginas para futuras referências, descobri que estava meio tonto de emoção. Eu tinha que revelar a alguém as minhas descobertas. Olhando para o pequeno relógio digital no outro lado da sala, pisquei aturdido. Eram quase quatro horas da manhã, certamente muito cedo para falar com alguém. Peguei meu casaco acolchoado, levantei-me e fui até a porta. Minha esposa dormia em nossa casa, uma construção rústica, a alguma distância do escritório.

Ao abrir a porta, senti uma onda de calor que vinha do aquecedor atrás de mim escapando para o ar gelado da noite do deserto. O termômetro ao lado do prédio marcava quase dez graus abaixo de zero, típicos dessa época do ano. Com os primeiros raios do sol, a temperatura matinal subiria rapidamente quase quinze graus dentro de uma hora, levando a uma tarde agradável de cerca de cinco graus. Fechando a porta, andei pelo cascalho solto que formava um caminho entre os edifícios. Parei por um instante. Era um momento muito especial.

Com exceção da minha respiração, que formava nuvens de vapor na frente do meu rosto, não havia nenhum som. Tudo estava completamente quieto. Não havia vento. As poucas folhas que não haviam caído das oliveiras estavam retorcidas e marrons. Qualquer sopro de vento produziria o som familiar do outono nas folhas. Elas estavam quietas. Olhei para o céu sem nuvens, para a beirada da Via-Láctea, que eu já tinha visto centenas de vezes. Essa noite tudo parecia diferente. Os antigos haviam revelado como tocar naquelas estrelas e em algo mais além, por meio da ciência interior da oração. Eles lembravam que o alcance da prece reflete-se nas nossas crenças daquilo de que somos capazes. Nesse momento silencioso, tudo fazia sentido.

Corri pelo caminho de pedras, atravessei o passadiço e entrei na casa onde minha esposa dormia. Animadamente, sentei-me na beira da cama e comecei a contar-lhe as minhas descobertas. Ela abriu um olho para sinalizar que estava ouvindo e eu fiz uma pequena pausa. Ela sorriu e perguntou:

— Podemos conversar mais tarde?

— É claro! — respondi, um pouco embaraçado com o meu próprio entusiasmo.

— Ótimo — disse ela. — Isso parece ser importante. Quero estar bem acordada para ouvir sobre o que você descobriu.

Embora eu mesmo estivesse surpreso com a intensidade do meu entusiasmo, não fiquei desapontado com a reação dela. Talvez fosse hora de eu dormir também. Afinal, aqueles textos haviam guardado seus segredos por 2 mil anos. Eu sabia que poderia esperar mais algumas horas até o nascer do sol.

Conhecimento, sabedoria e paz

Acho que existe uma diferença sutil entre conhecimento e sabedoria. O conhecimento pode ser considerado como o elemento da nossa experiência que trata das informações. Todos os dados, estatísticas e padrões de comportamento, passados ou presentes, podem fazer parte do conhecimento. Sabedoria, por outro lado, é como sentimos o nosso conhecimento. O conhecimento pode ser ensinado e transmitido de uma geração a outra, sob forma de textos e tradições. A sabedoria deve ser vivida por todas as pessoas de uma geração, para que conheçam as conseqüências da experiência direta.

Nos textos dos essênios que eu havia encontrado na noite anterior, havia um tema recorrente. O denominador comum era a antiga chave da paz. Eu considerava a poesia, as analogias e as parábolas nesses textos de 2.500 anos como um código num manual de instruções atual. O código essênio da paz baseia-se em qualidades familiares que conhecemos na vida: lógica e emoção. À sua maneira, os essênios nos transmitiram o seu conhecimento da paz, lembrando-nos de duas coisas. Primeiro, eles nos mostraram o significado da paz para toda a criação. Segundo, eles nos mostraram como, ao evocar a paz no nosso mundo interior, promovemos as mudanças no mundo exterior.

Os sábios das comunidades de Qumran revelam o potencial que a oração pode trazer à nossa vida. Com a descrição dos componentes da prece, surge uma equação que nos permite mover a energia elétrica através das membranas das nossas células, gerando complexos padrões na substância da consciência humana e criando reações químicas específicas dentro dos laboratórios do nosso corpo. Na presença desse poder, é possível que a imagem "mover montanhas" seja uma descrição literal do grande poder que existe como o nosso maior potencial? À luz da confirmação da ciência sobre os efeitos da prece, temos que aceitar a possibilidade desse poder na nossa vida.

Entre todas as distorções que ocorreram nas traduções dos textos sagrados, a última chave para a tecnologia da oração é um elemento que escapou aos editos do século IV no Concílio de Nicéia e que ainda permanece conosco. Embora as palavras possam ter sido um tanto distorcidas, grande parte da intenção original ficou, introduzindo uma nova perspectiva em nossa vida. Elementos desse segredo ainda estão nos textos bíblicos atuais, bem como nos manuscritos essênios que antecederam em centenas de anos a nossa Bíblia. Essas passagens de "intersecção" fundamentam a crença de que os dois documentos tenham a mesma origem.

Em alguns ensinamentos, o último código é conhecido como o Grande Mandamento. O Evangelho de Marcos, capítulo 12, versículo 30, resolve o mistério de fundir os elementos da prece num só. Para criar esse poder, temos de amar de forma muito específica: "Amarás o Senhor teu Deus de todo o teu *coração*, e de toda a tua *alma*, e de todo o teu *entendimento*, e de todas as tuas *forças*." Talvez essa misteriosa passagem possa ser explicada pela visão que os essênios tinham da relação do homem com o Criador. Segundo a perspectiva deles, somos uma coisa só com o nosso Pai no céu. "Ao lado do rio, está a sagrada Árvore da Vida. Ali reside o meu Pai, e a minha casa está nele. *O Pai Celestial e eu somos Um.*"[12] Dentro de cada pessoa deste mundo, vive uma centelha divina da criação e do Criador. Essa compreensão, pois, torna-se o grande desafio para o nosso mistério. Para concentrar a oração, temos de amar o próprio princípio criativo da vida, o nosso Criador, com todo o coração, alma, mente e força. *Pois, se somos um com o Pai que está no céu, assim fazendo, amamos a nós mesmos.* Por meio desses quatro pontos específicos, sabemos como respeitar o amor que os essênios chamavam de "fonte de todas as coisas". O segredo consiste em que, apenas na presença desse amor pode-se encontrar o tipo de paz que recompensa o trabalho da nossa oração. Essas palavras já foram proferidas. O que significam elas precisamente? O que significa amar dessa maneira? Como podemos amar com todo o coração, alma, mente e força?

O código perdido dos essênios mostra como essa paz pode ser alcançada. É por meio do corpo, do coração e da mente que vivemos os pensamentos, sentimentos e emoções. Embora tenhamos pouco controle sobre as nossas percepções, é por meio da ligação com essas percepções que podemos escolher a qualidade da nossa experiência. A última parte do código, baseada na lógica e na emoção, talvez seja a peça final da nossa busca pela unificação das nossas orações. "*Conhece* essa paz com a tua mente, *deseja* essa paz com o teu coração, *preenche* essa paz com o teu corpo."[13]

Por meio da lógica da mente, temos de saber que a paz é verdadeira. Temos de prová-lo a nós mesmos, demonstrando a viabilidade da paz em nossa vida e no mundo. Por meio da força do coração, temos então de desejar essa paz em tudo o que vivemos. A paz já existe no mundo. Somos desafiados a procurá-la, encontrá-la até nos lugares onde aparentemente ela não existe. É por meio do corpo que expressamos a nossa mente e o nosso coração. Escolhemos que ações oferecer ao mundo. Essa passagem nos diz para deixarmos que as ações reflitam exteriormente as escolhas já feitas interiormente.

Desse modo, os essênios nos desafiam a criar uma espécie de código de conduta. Embora outros possam escolher ações que neguem a vida, neles mesmos ou nos outros, por meio dessas palavras podemos nos manter num padrão mais elevado. Somos estimulados a criar a paz em todos esses elementos, para chegar ao amor que traz unidade às nossas ações.

Segredos para orar e curar

Nas tradições pré-cristãs dos antigos essênios, podemos encontrar alguns dos registros menos distorcidos de tecnologias esquecidas. Talvez a maior visão da eloqüência dessa sabedoria seja encontrada no modelo de oração e cura dos essênios, que faz uma suposição que começa onde as modernas terapias acabam. O princípio fundamental da cura dos essênios é que *já estamos curados*. Em cada momento da nossa vida, fazemos escolhas que afirmam ou negam a vida já existente no nosso corpo.

Os mestres essênios consideravam as expressões de doença como magníficas ilustrações, derivadas das escolhas e ações feitas pelo indivíduo, e não da busca por "causas" exteriores. Eles acreditavam que nós determinamos as reações às condições do mundo — algumas vezes conscientemente, outras não. Por meio dos escritos sagrados, sabemos que a filosofia essênia considerava o "mapa" da nossa alma como uma expressão divina do Criador, intocada e não corrompida pelas experiências da vida. A alma já está curada e procura expressar esse estado por meio do corpo. Aceitando a cura por meio da crença e do perdão, a nossa cura é refletida na expressão da alma no mundo: o nosso corpo.

Esse ponto de vista nos leva a considerar as condições que testemunhamos no corpo como indicadoras da qualidade de nossas escolhas. Se condensarmos os inúmeros provérbios, parábolas, ensinamentos e dizeres, descobriríamos que esse pensamento sugere que afirmamos ou negamos a vida no nosso corpo, por meio de quatro suposições ou princípios. Cada um desses princípios contribui para a expressão geral de saúde e vitalidade. Todos testemunham a natureza correlata do espírito, da matéria e da vida. Hoje podemos ver esses princípios, por meio da linguagem da nossa época, como possíveis modelos das visões das escolhas que fazemos diariamente: a natureza delas, nossas razões para fazê-las e seus possíveis resultados.

Nas páginas seguintes, cada um desses princípios está resumido em poucas palavras ou numa única sentença; em seguida, explicamos, sob forma de exemplo, ou damos uma descrição simples. Então examinamos as implicações e conseqüências desses dogmas, explicando o porquê de sua importância e, finalmente, mostramos como aplicá-los em nossa vida.

PRIMEIRO PRINCÍPIO: JÁ ESTAMOS CURADOS
Explicação
A chave para a compreensão deste princípio é a mesma que nos permite escolher novos resultados para condições existentes. A suposição de que já estamos curados decorre da nossa visão de mundo como um conjunto de resultados possíveis, e da nossa capacidade de selecionar qual queremos viver. Inerente a essa fé, está o conhecimento do papel que representamos como uma força poderosa da criação, focalizando novos resultados ao mesmo tempo que dispomos daqueles que já nos serviram. O corpo é o mecanismo que informa a qualidade das nossas escolhas de pensamentos, sentimentos, emoções, respiração, nutrientes e movimentos, e de como respeitamos a vida.

No exemplo do tumor desaparecido (capítulo 3), em vez de impor a vontade de cura sobre as condições do câncer, os terapeutas preferiram sentir, pensar e emocionar-se com uma alternativa na qual o tumor jamais esteve presente. Assim, eles atraíram o novo resultado, a sobreposição de uma possibilidade quântica que refletia a sua fé naquele momento. Em dois minutos e quarenta segundos, a nova crença substituiu a anterior. Os antigos conheciam o poder dessa tecnologia como um modo de orar que transcendia todos os princípios religiosos, místicos ou científicos.

Implicações
Para aceitar o princípio de que já estamos curados, temos de admitir a possibilidade de que existem muitos resultados para uma determinada condição. O ato de fazer novas escolhas na nossa vida é a tecnologia que permite selecionar novas possibilidades. Do ponto de vista que define a oração como uma qualidade de sentimento, a prece também se torna a linguagem para sintonizar as escolhas afirmativas de saúde e relacionamentos.

A suposição de que já estamos curados mostra que, cada vez que pedimos para sermos curados, existe uma outra possibilidade na qual a nossa prece já foi atendida. Com isso em mente, sempre que tivermos um diagnóstico de doença fatal, saberemos que essa é apenas uma entre muitas possibilidades para esse momento.

O diagnóstico de um problema ou doença não está necessariamente correto ou incorreto. Ele está simplesmente incompleto, se não admitirmos outras possibilidades. No mesmo momento, deve existir um outro resultado, no qual a doença ou condição não esteja presente. Cada uma dessas possibilidades já existe. Cada conseqüência é real. Segundo esse princípio, a diferença entre os resultados é uma questão de perspectiva.

Aplicação à vida
Em todos os momentos, estamos fazendo seleções que afirmam ou negam a vida em nosso corpo. Consciente ou inconscientemente, selecionamos a qualidade de seis parâmetros: pensamento, sentimento, emoção, respiração, nutrientes e movimento. Para cada um dos parâmetros, temos de indagar se estamos oferecendo a nós mesmos a maior qualidade possível, na medida de nossa capacidade. No caso de descobrirmos em nós mesmos as condições que desejamos mudar, a qualidade da nossa saúde será o sinal para procurarmos num dos seis parâmetros de vida, ou numa combinação deles.

Ao aplicar o modo perdido de orar ao princípio de que já estamos curados, a nossa oração se torna um esclarecimento das condições que desejamos mostrar ao mundo, em vez de alterar as condições presentes. Sentir e viver com o conhecimento de que as novas condições estão presentes nos sintoniza com o resultado de nossas novas seleções.

SEGUNDO PRINCÍPIO: TODOS SOMOS UM AQUI
Explicação
O censo mundial indica que existem aproximadamente seis bilhões de pessoas vivendo hoje na Terra. Este princípio nos lembra de que cada pessoa é única, uma expressão individualizada de uma consciência unificada. Dentro dessa unicidade, as escolhas e ações de cada uma delas afetam, em certo grau, todas as outras.

Implicações
As implicações dessa assertiva são enormes e, ao mesmo tempo, extremamente relevantes. Em seu sentido mais amplo, o nosso papel dentro de uma consciência unificada significa que não existem ações isoladas, nada de "eles" e "nós". Não podemos mais pensar no mundo em termos de "problemas deles" e "problemas nossos". Num campo de consciência unificada, cada escolha que fizermos e cada ato que realizarmos, em todos os momentos do dia, afetarão outra pessoa neste mundo. Algumas ações produzem um efeito maior que outras. Mas, ainda assim, o efeito existe.

Cada vez que escolhemos uma nova forma de enfrentar os desafios da vida, a nossa solução contribui para a diversidade da vontade humana que assegura a nossa sobrevivência. Quando um de nós descobre uma solução criativa para os desafios aparentemente pequenos de nossa vida particular, tornamo-nos uma ponte viva para a próxima pessoa que tenha de enfrentar o mesmo problema, e esta para a seguinte, e assim por diante. Cada vez que um de nós enfrenta as condições que outros já viveram no passado, temos mais à nossa disposição, graças à resposta coletiva. Relativamente poucas pessoas conseguem criar possibilidades que se tornem escolhas para todos.

As conseqüências de nossas ações estão implícitas num mundo de consciência unificada. Cada vez que ferimos outras pessoas com as nossas palavras ou ações, na verdade ferimos a nós mesmos. Cada vez que tiramos a vida de outrem, tiramos parte da nossa própria vida. Os próprios pensamentos que nos levam a ferir os outros limitam a nossa capacidade de expressar o desejo de criação por intermédio de nós mesmos.

Ao mesmo tempo, sempre que amamos outra pessoa, estamos amando a nós mesmos. Todas as vezes que dedicamos nosso tempo aos outros, que tentamos compreendê-los, que nos colocamos à disposição deles, estamos fazendo tudo isso também para nós mesmos. Quando desaprovamos as ações, escolhas ou crenças dos outros, testemunhamos por meio deles a parte de nós mesmos que precisa ser curada.

Aplicação
Quando outras pessoas cometem ações que julgamos mal, precisamos reconhecer o papel dela na unidade como a parte de nós que escolheu um caminho diferente. Sem tolerar as ações de outrem, ou mesmo consentir nelas ou concordar com elas, temos de abençoar compassivamente esses atos como uma possibilidade, e seguir em frente com a nossa opção por um novo caminho.

O segredo para a nossa unicidade é o poder de transformar o mundo. A força da nossa união permite que um número relativamente pequeno de pessoas afete a qualidade da vida de toda uma população.

TERCEIRO PRINCÍPIO: ESTAMOS SINTONIZADOS COM O MUNDO
Explicação
Somos uma parte de tudo o que percebemos. Como feixes de átomos, moléculas e componentes, somos feitos exatamente dos mesmos elementos que compõem o mundo, nada mais, nada menos. Esse princípio, a base de muitas crenças antigas e indígenas, nos lembra de que, mediante fios invisíveis e cordões incomensuráveis, fazemos parte de todas as expressões da vida. Num mundo de tal ressonância, cada rocha, árvore, montanha, rio e oceano é uma parte de nós. Tudo o que acontece à matéria do mundo afeta o nosso corpo.

A matéria que cerca a nossa vida diária reflete a qualidade das escolhas que temos feito. Sem exceção, as casas, os automóveis, os animais de estimação e a Terra são o reflexo, em todos os momentos, da qualidade, das implicações e conseqüências das nossas escolhas.

Implicação
Quando aprendemos a reconhecer o que as condições do mundo exterior estão nos dizendo, enxergamos as enormes possibilidades de gerar a mudança no mundo, por meio das mudanças na nossa vida. Pesquisadores registraram desvios na Terra diretamente relacionados à mudança da consciência humana. Sensores colocados no chão, em volta de uma pessoa que sentia emoções que iam desde os extremos da raiva às alturas do amor, detectaram mudanças na freqüência biológica.

Qual o efeito externo de muitas pessoas, possivelmente cidades ou comunidades inteiras, compartilhando emoções de raiva ou compaixão? É possível que a cura das emoções dentro do pequeno mundo do nosso corpo tenha algum efeito sobre o mundo à nossa volta, manifestados como padrões climáticos ou terremotos?

Aplicação
Em todos os momentos da vida, estamos ligados aos elementos do mundo. Por meio de nossas amizades, relacionamentos, lares, veículos e das circunstâncias da vida, obtemos poderosos vislumbres do nosso sistema de crenças, julgamentos e intenções. Segundo esse princípio, quando mudamos a nossa fé e encontramos novas formas de expressão, o mundo reflete as nossas escolhas. Sistemas turbulentos tornam-se pacíficos na presença da nossa paz. Escolhas positivas dentro do nosso organismo criam condições, em nosso mundo, que refletem essas escolhas. Talvez essa seja a explicação para aquilo que disseram os antigos: para curar o mundo, temos de nos transformar nas condições dessa cura.

QUARTO PRINCÍPIO: A TECNOLOGIA DA ORAÇÃO DÁ ACESSO DIRETO AO NOSSO CORPO, ÀS OUTRAS PESSOAS E ÀS FORÇAS CRIATIVAS DO MUNDO

Explicação
Por meio da tecnologia interior da oração, comungamos com as forças invisíveis do mundo. Sempre tivemos condições de entrar em contato com essas forças e trabalhar com elas para determinar a qualidade da nossa vida e do nosso mundo.

Implicação

As experiências do mundo exterior refletem as escolhas que fazemos em todos os momentos, com cada respiração. Por vezes temos consciência dessas escolhas, outras não. Pesquisas recentes documentaram como as nossas emoções e sentimentos influenciam diretamente a expressão do DNA no organismo.[14] Outros estudos indicam que é o DNA que influencia a forma pela qual os átomos e moléculas do mundo exterior também se comportam![15]

Testemunhamos a reação dos tecidos humanos a qualidades específicas de sentimento, como na "cura" de lesões e tumores em alguns minutos. A ligação foi demonstrada, embora as implicações estejam além da estrutura da ciência moderna. O desejo de reconhecer essa relação é profundamente pessoal, levando-nos novamente a "pensar os pensamentos dos anjos e fazer o que os anjos fazem".[16]

Aplicação

A prece talvez seja a força mais extraordinária em toda a criação. Individualmente, temos a linguagem silenciosa que nos permite participar do resultado dos acontecimentos e dos desafios da vida. Juntos, numa oração em massa, temos a oportunidade de determinar todos os acontecimentos do mundo.

Tanto as antigas tradições quanto os modernos cientistas indicam que a prece é a sofisticada tecnologia que nos permite reconhecer as possibilidades dos resultados futuros e escolher aquele que desejamos. Quando nos transformamos nas próprias condições que preferimos viver neste mundo, atraimos o resultado que reflete a nossa escolha. Dessa forma, as guerras, as doenças e os sofrimentos já não "acontecem" simplesmente; em vez disso, percebemos o mecanismo que provoca a sua ocorrência. Ao mesmo tempo, temos o poder de fazer uma nova seleção.

É irônico que as descobertas tecnológicas do século XX, feitas em grande parte, para aplicações militares e de defesa, tenham originado as visões que nos levaram à eficaz porém simples ciência da oração. Os fundamentos já estão colocados. Os dados foram conferidos e as experiências realizadas. Conseguimos provar, pelo menos em determinadas condições, que o pensamento e a emoção produzem o sentimento e que este produz os padrões vibratórios que afetam o mundo. Quando alteramos o resultado dos sentimentos, mudamos o padrão da vibração, e assim modificamos os padrões do mundo exterior.

A questão agora é saber como, e em que grau, nossos padrões de sentimento afetam o mundo. Se pudermos encontrar um elo entre as forças invisíveis do sentimento humano e o efeito dos nossos sentimentos sobre o mundo à nossa volta, teremos fechado o círculo. Essa ligação daria nova credibilidade às antigas tradições e capacidades dos místicos e iogues, registradas ao longo dos anos. Talvez o trabalho de Vladimir Poponin possa dar algumas evidências para confirmar a relação direta entre matéria e o DNA humano.

Mover montanhas: o efeito-fantasma do DNA

No início da década de 1990, a Academia de Ciências da Rússia, em Moscou, divulgou uma espantosa relação entre o DNA e as qualidades da luz, medidas em fótons.[17] Num trabalho que relatava esses estudos preliminares, o dr. Vladimir Poponin descreveu uma série de experiências, demonstrando que o DNA humano afeta diretamente o mundo físico, por meio de um novo campo desconhecido que liga os dois. Reconhecido como um especialista de vanguarda na área da biologia quântica, o dr. Poponin estagiava num instituto de pesquisas norte-americano quando fez essa descoberta.

A experiência começou com a medição dos padrões de luz no vácuo, em ambiente controlado. Depois de remover todo o ar de uma câmara especial, os padrões e espaçamento das partículas de luz distribuíram-se aleatoriamente, como estava previsto. Esses padrões foram conferidos e registrados duas vezes, para ser usados como referência na parte seguinte da experiência.

A primeira surpresa surgiu quando amostras físicas de DNA foram colocadas na câmara. Na presença do material genético, o espaçamento e padrões das partículas de luz se desviaram. Em vez dos padrões aleatórios registrados anteriormente pelos pesquisadores, as partículas de luz começaram a se dispor num novo padrão, semelhante às cristas e depressões de uma onda plana. O DNA estava nitidamente influenciando os fótons, como se os conformasse na regularidade de um padrão ondulatório, por meio de uma força invisível.

A surpresa seguinte aconteceu quando os pesquisadores removeram o DNA da câmara. Imaginando que as partículas de luz retornariam ao seu estado original, de distribuição aleatória, ocorreu algo inesperado. Os padrões ficaram muito diferentes daqueles encontrados antes da introdução do DNA. Nas próprias palavras de Poponin, a luz se comportou "de modo surpreendente e contrário ao previsto". Depois de conferir novamente os instrumentos e repetir as experiências, os pesquisadores tiveram de encontrar uma explicação para o que haviam visto. Na ausência do DNA, o que estaria afetando as partículas de luz? Teria o DNA deixado atrás de si alguma coisa, algum tipo de força residual, que ainda permaneceu lá imediatamente após a retirada do material biológico?

Poponin escreve que ele e os demais pesquisadores foram "forçados a aceitar a hipótese operacional de que algum novo campo estrutural estava sendo estimulado (...)". Para sublinhar que o efeito se relacionava com as moléculas físicas do DNA, o novo fenômeno foi denominado "Efeito-fantasma do DNA". O "novo campo estrutural" de Poponin é surpreendentemente parecido com a "matriz" da força de Max Planck e com os efeitos relatados pelas antigas tradições.

Essa série de experiências é importante porque demonstra claramente, talvez pela primeira vez em condições de laboratório, uma relação que dá mais credibilidade ao efeito da oração no mundo físico. Nesse caso, o DNA era mais ou menos uma coleção passiva de moléculas não ligadas ao cérebro de um ser vivo consciente. Mesmo na ausência de um sentimento direto pulsando através de sua antena duplamente helicoidal, havia uma força e um efeito mensurável no mundo imediatamente vizinho.

Os pesquisadores afirmam que uma pessoa comum, de altura e peso normais, possui muitos trilhões de células no organismo. Se todas as células, todas as antenas de sentimento e emoção dentro de um indivíduo, carregam as mesmas propriedades que afetam o mundo à sua volta, até que ponto esse efeito pode ser amplificado? E se, em vez de sentimentos aleatórios que passam pelas células dessa pessoa, o sentimento resultar numa forma específica de pensamento e emoção, sob forma de oração? Se multiplicarmos os efeitos dessa pessoa, fortalecida por um modo específico de rezar, por apenas uma pequena fração dos cerca de seis bilhões de habitantes do mundo hoje, começaremos a ter uma idéia do poder inerente à nossa vontade coletiva.

É o poder de acabar com todo sofrimento e evitar a dor que têm sido a marca do século XX. O segredo é que temos de atuar juntos para alcançar esse objetivo. Esse será talvez o maior desafio do terceiro milênio.

Em nossa própria linguagem, temos o vocabulário para descrever a nossa relação perdida com as forças do mundo, com a inteligência do cosmo e com as outras pessoas. Usando para medir os campos de energia alguns dispositivos muito sensíveis da nossa época, dos quais não tínhamos conhecimento há cinqüenta anos, a ciência confirmou a relação da qual os antigos já falavam há dois milênios. Nós temos acesso direto às forças do mundo e completamos o círculo. Essa é a linguagem que move montanhas. É a mesma linguagem que nos permite escolher a vida em vez de um tumor canceroso, e criar a paz em situações na qual acreditamos que ela não exista. Quando lemos sobre curas milagrosas no passado, não precisamos mais lamentar que elas não ocorram mais hoje. Os resultados miraculosos já existem; só temos de optar por eles.

Hoje, continuo a rezar. Para mim, cada momento da vida tornou-se uma oração. Ainda agradeço pelas coisas boas e agora sinto o poder de escolher novas condições no lugar daquelas que no passado causavam sofrimento. A minha formação em ciências tradicionais revelou que existem poucos mistérios e poucos fatos que não podemos comprovar, se ousarmos aceitar as "leis" que a natureza revela no milagre de cada dia.

A oração demonstrou que algumas coisas simplesmente são o que são, mesmo que não possamos comprová-las no momento. Sei, por exemplo, que algumas das memórias mais sagradas da nossa herança estão espalhadas pelos mosteiros, igrejas, tumbas e templos daqueles que nos antecederam. Sei também que as mesmas memórias vivem nos costumes e tradições dos povos que anteriormente julgávamos primitivos. Sei que somos capazes de ter lindos sonhos, magníficas possibilidades e amor profundo. E, talvez o mais importante, sei que já existe uma possibilidade na qual acabamos com o sofrimento de todas as criaturas, por meio do respeito à sacralidade de todas as formas de vida. Essa possibilidade já está presente em nós. Sei que tudo isso é verdade, pois eu vi. No instante em que admitimos essas possibilidades em escala maciça, fazemos brotar uma nova esperança. É esse instante de que lembraremos sempre. É esse o momento em que anularemos o último dia da profecia.

Nenhuma nação levantará a espada
contra outra nação,
e elas tampouco aprenderão mais a guerrear:
pois as coisas anteriores terão passado.

– *APOCALIPSE DOS ESSÊNIOS*

A CURA DOS CORAÇÕES, A CURA DAS NAÇÕES

Como reescrever o nosso futuro na época profetizada

Um minuto antes, eu estava sozinho. Andando pela velha estrada paralela ao vale, em direção ao oeste, abri caminho pelos arbustos de salva-brava, ainda úmidos do orvalho da manhã. O chão era plano e seco, com uma camada fina de gelo que rangia sob os meus pés. A cada passo, eles afundavam a frágil mistura de argila e terra, deixando a pegada perfeita das minhas botas no chão do deserto. Em meio à luz do amanhecer, vi alguém caminhando em minha direção. Quando focalizei os olhos, vi que era Joseph. Tínhamos combinado o encontro, como fizéramos muitas vezes, apenas para caminhar, conversar e apreciar a manhã. Os primeiros raios do sol do inverno lançavam sombras compridas por trás dos montes Sangre de Cristo, ao leste. Ficamos ali juntos, de costas para as pedras, olhando a magnífica vista à frente.

Parado na orla de um vale com 130 mil acres de uma salva particularmente olorosa, Joseph inspirou profundamente.

— Todo esse campo — começou ele —, até onde a vista alcança, é como uma única planta.

Suas palavras formavam pequenas nuvens de vapor à medida que a respiração se misturava ao ar ainda frio.

— Existem muitas moitas nesse vale — continuou — e cada planta está ligada às outras por meio de um sistema de raízes que não podemos ver.

Ainda que estejam escondidas de nós, embaixo da terra, as raízes existem. Todo o campo é uma única família de artemísias. Como em qualquer família — explicava — a experiência de um dos membros é aprendida, em certo grau, por todos os outros.

Prestei atenção ao que Joseph dizia. *Que bela metáfora*, pensei, *da forma pela qual as pessoas estão ligadas entre si por meio da vida*. Embora enxerguemos vários corpos que acreditamos ser de estranhos, vivendo e trabalhando independentemente, há um único fio de consciência que nos liga como uma família. A nossa conexão é feita por meio de um sistema que não vemos. Mas ainda assim a ligação existe, sob a forma daquilo que alguns chamam de "mente universal": o mistério de nossa consciência. Como os arbustos de salva, estamos todos interligados durante a nossa jornada pelo mundo. Em consciência, só existe um de nós aqui.

Por vezes, os grandes mistérios da vida só se tornam claros quando deixamos de pensar neles. Embora *conheçamos* as informações mentalmente, o significado do mistério deve ser *sentido* antes de ser vivido. Na inocência do momento, aprender a experiência de outros, por vezes é o agente catalisador que desperta novos entendimentos em nós mesmos. Agora sei o porquê.

Muitas vezes lembro-me dessa manhã e me admiro da eloqüente simplicidade com que Joseph descreveu a relação entre os arbustos de salva. Além de explicar de que forma estamos ligados uns aos outros, ele descreveu também as possibilidades desse relacionamento. Por exemplo, quando uma área desenvolve tolerância por algum inseto ou determinado produto químico, toda a família demonstra essa tolerância. *O segredo é que muitos se beneficiam das experiências de poucos*. Estudos recentes sobre o efeito da oração em massa — o sentimento de muitas pessoas concentrado num único tema — documentam relações semelhantes na consciência humana. A qualidade de vida de toda uma vizinhança foi afetada pela oração concentrada de poucas pessoas.

As antigas tradições, de maneira quase universal, acreditam que a ligação entre o mundo cotidiano e o mundo interior da nossa consciência é bem mais profunda do que se imagina. Considerando o nosso corpo e a Terra como reflexos um do outro, entendemos que os extremos vistos em um deles podem ser considerados como metáforas para mudanças no outro. Esse modo de pensar relaciona padrões climáticos destrutivos e tempestades, por exemplo, à consciência inquieta das pessoas que vivem nos lugares onde esses fenômenos ocorrem. Ao mesmo tempo, essa visão holística indica que terremotos, tempestades ameaçadoras e doenças podem ser amenizados ou mesmo eliminados por meio de alterações sutis no nosso sistema de crença.

Se de fato essa relação existe, talvez pela primeira vez possamos ver o século XX com nova confiança e fé. Transcendendo as constantes profecias de uma terceira guerra mundial, as predições de mortandade e caos de final de século, o segredo da oração, de mais de 2.500 anos, poderá significar uma oportunidade única para definir a nossa época de uma forma que só vimos em sonhos. Em vez de proteger-nos de acontecimentos que parecem ter poder sobre nós, podemos, na verdade, *escolher* condições positivas que superem doenças, sofrimento e guerra no nosso futuro.

O templo vivo

Em palavras do seu tempo, os estudiosos gnósticos apelaram às futuras gerações para que se lembrassem de que a Terra está em nós, que nós estamos nela e que ambos estamos interligados em tudo o que sentimos. Novas traduções dos documentos essênios do mar Morto indicam uma transcendência ainda maior, por vezes inesperada, da sabedoria de seus autores. A motivação para as cerimônias, rituais e estilo de vida das comunidades essênias era sua convicção profunda de respeitar o fio vital que liga todas as formas de vida, em todos os mundos.

Os mestres essênios acreditavam que o corpo fosse um ponto de convergência no qual as forças da criação se uniam para expressar a vontade de Deus, e o tempo que passamos nele, uma oportunidade de transmitirmos entre nós as experiências individuais de ira, raiva, ciúme e ódio, que muitas vezes se nos manifestam como empecilho e preconceito. Mas é também por meio do corpo que aprimoramos as qualidades de amor e compaixão e a capacidade de perdoar que nos elevam às maiores expressões de humanidade. Por isso, eles consideravam o corpo como um local sagrado, um templo vivo e vulnerável para a nossa alma.

É dentro desse templo vivo que as forças do cosmo se unem como expressão de tempo, espaço, espírito e matéria. Mais precisamente, é na experiência de tempo e espaço que o espírito atua por meio da matéria para encontrar as maiores formas de veneração da vida. É interessante que os sábios de Qumran se concentrassem num lugar determinado dentro do corpo, e não no próprio corpo, como cenário para a expressão divina. Palavras de um fragmento encontrado entre os Manuscritos do mar Morto afirmam que, com o corpo, "...herdamos uma terra sagrada (...) essa terra não é um campo a ser cultivado, mas um lugar dentro de nós no qual construiremos o templo sagrado".[1]

Os lugares sagrados dos santuários localizavam-se nos recessos mais reclusos dos templos antigos. Nos templos do Egito, por exemplo, a capela mais santa aninha-se no interior do complexo. Escrituras carcomidas pelo tempo referem-se a um único cômodo, geralmente pequeno se comparado com o resto do prédio, incrustado entre corredores tortuosos e antecâmaras, como o *beth elohim*, o mais sagrado. É nesse lugar particularmente santo que o mundo invisível dos espíritos toca a matéria física do mundo.

Transportando a metáfora dos templos de pedra para a dos templos vivos, o nosso corpo também deve ter um santo dos santos. Talvez de maneira ainda não conhecida pela ciência atual, a parte mais íntima do nosso templo vivo representa o lugar sagrado no qual o corpo material é tocado pelo sopro do espírito. Existiria um lugar assim dentro de nós?

Num relatório da terceira conferência anual da International Society for the Study of Subtle Energies and Energy Medicine, os cientistas documentaram a força metafísica da emoção alterando realmente a molécula física do DNA. Com base em rigorosos testes realizados em indivíduos perfeitamente capazes de controlar as emoções, bem como em outras pessoas sem nenhum treinamento especializado, usadas como controle, o estudo observou que "indivíduos treinados para gerar sentimentos concentrados de amor profundo (...) foram capazes de *causar uma alteração intencional* na conformação do DNA" (a ênfase é do autor).[2] Qualidades específicas de emoção, produzidas intencionalmente, determinaram como e em que grau os dois "filamentos" da molécula da vida estavam entrelaçadas!

Esse estudo é importante por uma série de razões. O modo pelo qual o bloco de nossa construção vital básica está configurado tem um papel importante na forma como o DNA se regenera e se reproduz no nosso organismo. O que determina a verdadeira forma da molécula do DNA ainda é um enigma. Confirmando a antiga hipótese de que a emoção afeta significativamente a saúde e a qualidade de vida, essas experiências demonstraram, talvez pela primeira vez, que a emoção é o elo perdido, uma linha de comunicação direta com a própria essência da vida.

As referências nos Manuscritos do mar Morto a uma "terra santa (...) um lugar dentro de nós onde podemos construir o nosso templo sagrado" poderiam ser uma descrição das próprias células do nosso organismo? Afinal, foi ali que a ciência testemunhou agora o casamento entre espírito e matéria. Se for assim, cada célula no templo vivo do nosso corpo será, por definição, um "lugar sagrado". Cada célula deve ser considerada sagrada! No momento em que a tecnologia nos permitiu ver o espírito modelando o mundo da matéria (ou seja, a emoção dando forma ao DNA), abrimos o caminho para uma nova era, a qual reconhece a relação entre as nossas crenças e experiências.

Essa compreensão, originada de algo tão inusitado quanto os textos de 2.300 anos, agora confirmados pela ciência do século XX, pode ser considerada como uma espécie de "teoria biológica unificada". Essa teoria proporciona um mecanismo, há muito buscado, para descrever a nossa relação com todo tipo de vida. Além da ciência, da religião e das tradições místicas, não temos ainda um nome para essa visão de mundo revisada. Repetindo as tradições indígenas do passado, essas visões lembram as palavras de despedida do abade tibetano: "Todos estamos ligados", disse ele. "Todos somos expressões da mesma vida (...). Somos todos um só."

Talvez a semelhança de suas palavras com as de Joseph ao descrever a salva-brava e com as dos textos essênios, não seja coincidência. Os registros indicam que uma determinada seita dos essênios, os Carmelitas do monte Carmelo, transportaram cópias de seus escritos mais sagrados para regiões remotas do mundo, para preservá-los da corrupção que sofreram os textos depois da época de Jesus. Anciões nativos descrevem memórias tribais de emissários que trouxeram as tradições essênias para a América do Norte há quase dois mil anos.

Outros textos foram levados a mosteiros longínquos na Ásia Central na mesma época. Um desses documentos, conhecido como Evangelho aramaico de São Marcos, também é conhecido como Evangelho dos Nazirenos, Evangelho dos Hebreus e Evangelho dos Ebionitas. Todos esses nomes se referem ao mesmo manuscrito. Foi bem documentada a chegada desse texto em particular a mosteiros tibetanos isolados durante o século I, e foi tido como "consideravelmente mais antigo" do que a versão final do Novo Testamento.[3]

Passagem para além dos mundos

Muitas vezes o desenvolvimento de uma tecnologia avançada traz consigo uma ironia. De modo geral, quanto mais simples essa técnica parece ao usuário, mais complexos são os sistemas subjacentes que permitem essa simplicidade. Um belo exemplo desse conceito pode ser encontrado nos computadores de linguagem de alto nível e na tecnologia conhecida como "apontar e clicar". Cada vez que movimentamos o cursor pela tela e clicamos no "ícone" de um programa, colocamos em movimento uma série de operações espantosamente complexas. "Ponteiros" internos, linguagem de máquina, "cascas" de sistemas operacionais e programas aplicativos são animados na velocidade de elétrons disparados ao longo de rotas de microcircuitos. Tudo o que fazemos é apontar para uma figura e apertar um botão. Felizmente, não temos de saber nada do que ocorre por trás dos bastidores. Na verdade, é um alívio não o saber.

A nossa tecnologia interior para acessar a criação opera de modo semelhante. À medida que dominamos determinadas experiências na vida, essas mesmas experiências abrirão janelas para outros mundos e possibilidades, com os quais nem sonhávamos no passado. Talvez sem mesmo imaginar o poder de seus textos, os antigos estudiosos nos afirmavam que, desde o nascimento, somos os condutores de uma tecnologia, fácil de usar mas muito sofisticada, para transformar o mundo. Os ensinamentos das comunidades dos ebionitas e nazirenos utilizavam uma linguagem, depois perdida, e um poder, mais tarde esquecido, mas que vivem dentro de nós. É essa linguagem silenciosa que nos transforma em passagens, trazendo as qualidades do céu até a terra. A sabedoria, a paz e a compaixão que sentimos em sonhos, por exemplo, poderão tornar-se uma realidade no mundo se refletirmos essas qualidades na vida diária.

Uma citação de um texto essênio fala das possibilidades dessa relação: — "...aquele que construir na Terra o Reino dos Céus (...) viverá nos dois mundos."[4] A linguagem perdida da oração é a ponte que liga estes dois mundos: o céu e a Terra. "Apenas por meio da comunhão (...) aprenderemos a ver o invisível, ouvir o que não pode ser ouvido e falar a palavra não proferida."[5]

Tão enganosamente simples quanto as tecnologias de computadores mais avançados, as implicações desses conceitos pré-cristãos tocam toda a nossa existência de forma insuspeitada. Elas indicam que todos nós participamos do resultado de acontecimentos globais bem como da saúde do nosso organismo e da qualidade dos nossos relacionamentos. Algumas vezes temos consciência dessa participação, outras não. À luz desse entendimento, referências seculares que afirmam que a nossa vida é uma oportunidade rara, adquirem agora um novo significado e, talvez, maior importância. É no nosso tempo que somos levados a criar, por meio das escolhas, um mundo exterior que reflita as nossas preces e os nossos sonhos mais íntimos.

Milagre nos Andes

Na primavera de 1998, o fenômeno meteorológico conhecido como *El Niño* estava fazendo estragos pelo mundo todo, na forma de temperaturas extremas, chuvas e ventos. Nas montanhas da costa oeste da América do

Sul, o Peru sofreu uma série de tempestades que iam do Oceano Pacífico para o continente. Depois de fortes chuvas, de proporções inusitadas, as planícies inundadas se juntaram, formando um lago de 3.700 km². Ricas terras cultivadas que eram passadas de uma geração a outra, transformaram-se num lago de água doce tão grande que pôde ser visto nas fotografias dos satélites.

Mas, em outros lugares do Peru, *El Niño* criou efeitos contrários, com estiagens e a seca da densa vegetação criada pelas primeiras chuvas do ano. Os planaltos montanhosos no sul do país tornaram-se particularmente suscetíveis a um raro período de seca extrema e ao perigo de incêndio em florestas inacessíveis. Localizado numa altitude de quase três mil metros de altura, o antigo complexo do templo de Macchu Picchu, partes do qual acredita-se terem sido construídas antes da época dos incas, está situado no meio da floresta mais luxuriante do país. Sendo um dos locais arqueológicos mais populares e misteriosos do mundo, o enorme templo atrai todos os anos milhares de turistas e é um tesouro nacional. A ausência de chuvas, combinada com a umidade já baixa desse lugar de tamanha altitude, criou condições para incêndios que poderiam atingir proporções catastróficas.

Eu estava liderando uma jornada de oração pelas montanhas da região de Cuzco, em maio de 1998, quando a guia e intérprete peruana contou-nos uma história que nos tocou profundamente. Ao mesmo tempo, a sua história confirmou a nossa crença no objetivo da viagem: conhecer e adotar a ciência perdida da oração. Maria ficou em pé na parte da frente do ônibus, enquanto percorríamos as estradas estreitas do antigo local de Pissiac, com um complexo de templos situado mais de três mil metros acima do nível do mar. No dia seguinte começaríamos uma excursão de quatro dias pelos Andes, para a "cidade perdida" de Macchu Picchu. Além do desafio físico, o objetivo da nossa jornada era criar experiências que fizessem aflorar em nós a força, a sabedoria e a compaixão que nos conduzissem com dignidade pela vida.

Em cada manhã da viagem, iniciaríamos o dia com um tema meditativo que adquiriria um significado maior e mais profundo quando enfrentássemos os desafios diários. Esses momentos se transformariam em experiências a serem levadas conosco para o ambiente doméstico, e profissional e para o círculo daqueles que amamos e prezamos. Por exemplo, a força exigida para se chegar ao local do acampamento, numa plataforma situada a 4.200 metros de altura seria para nós um modelo para a mesma força que faz com que avancemos diante dos maiores desafios. Cada dia da viagem tornava-se um ponto de referência para uma qualidade de oração que continha o potencial para nos servir, na presença dos maiores desafios da vida.

Quando os relâmpagos incendiaram algumas florestas no alto dos Andes, no início do ano, as comunidades locais haviam-se organizado para combater as chamas e salvar suas aldeias. Apesar de seus esforços, o incêndio escapara ao controle, estendendo-se por muitos dias, enquanto os funcionários do governo e os nativos apenas olhavam, desesperados e exaustos. O fogo abriu um caminho de destruição, parecendo queimar em todas as direções ao mesmo tempo. Uma tarde, o vento mudou e o fogo dirigiu-se para os templos de Macchu Picchu. Mobilizando os poucos recursos disponíveis, os que combatiam o fogo fizeram um grande esforço para apagar as chamas antes que atingissem o mais famoso monumento da história andina. Com poucos equipamentos, com as estradas destruídas e as trilhas bloqueadas pelos deslizamentos de terra causados pelas chuvas anteriores, a única fonte de água era o estreito rio Urubamba, no fundo de uma garganta de centenas de metros. Os esforços para salvar os templos eram infrutíferos. A linha de frente do fogo avançava, arrasando a periferia do enorme complexo. Quando as chamas estavam queimando os templos mais afastados, no pico próximo de Wyannu Picchu, a situação parecia desesperadora.

Esgotados todos os outros meios de deter as chamas, os aldeões recorreram a uma tecnologia que fazia parte de sua cultura há séculos. Individualmente e em grupos de famílias, pública e privadamente, eles começaram a rezar. Embora as preces variassem, o tema era um só: eles oravam para que os templos de Macchu Picchu fossem poupados. Coletivamente, eles dirigiam suas preces a um desafio comum a todos. Dentro de horas, o povo do sul do Peru testemunhou um acontecimento que muitos consideram um milagre. Um sistema de baixa pressão desenvolveu-se sobre aquela região dos Andes. Uma massa de ar quente e úmido vinda da costa chocou-se com o ar frio e seco das montanhas, o céu escureceu e começou a chover.

A chuva começou a cair torrencialmente, encharcando a floresta na qual o fogo pulava de uma árvore para outra. A água da chuva escorria por ravinas cortadas no topo das montanhas, descendo para a terra. Misturando-se com o solo fértil para formar uma grossa lama negra, a enxurrada soltava vapor quando caia sobre as rochas quentes na zona do incêndio. Dentro de algumas horas, as chamas haviam desaparecido, deixando troncos de árvores escorchados depois do pior incêndio já registrado nessa área.

Observadores de fora testemunharam o que acreditavam ser uma feliz coincidência. Os funcionários do governo estavam atônitos. Os aldeões locais estavam simplesmente aliviados. Para eles não havia mistério. Deus havia ouvido e atendido suas preces.

Há registros de histórias parecidas relacionadas a orações em massa que aceleraram o processo de paz da Irlanda do Norte, para evitar a perda de vidas com os bombardeios da OTAN no Iraque, e a misteriosa mudança de trajetória da um cometa que iria chocar-se com a Terra em 1996. Em cada um dos casos, circunstâncias que certamente teriam um resultado trágico, com a perda também certa de muitas vidas humanas, foram mudadas inesperadamente. Em todos esses exemplos, a alteração coincidiu com o esforço de muitas pessoas e grupos coordenados em orações de massa. A ciência ocidental comprovou que, pelo menos até certo ponto, o mundo exterior de átomos e elementos reflete o nosso mundo interior de pensamentos e emoções. Criar a paz e a cooperação na Terra poderia ser tão simples quanto unirmo-nos em preces coletivas semelhantes?

Para centenas de gerações, a estrutura da prece como sistema de apoio em horas de alegria, bem como nas de crise, teve um papel importante na vida de pessoas, famílias e comunidades. Transcendendo os limites culturais, etários, religiosos e geográficos, a linguagem silenciosa da oração talvez seja o costume mais universal que compartilhamos como espécie. É quase como se, em algum lugar, escondido no meio da névoa da nossa história coletiva, guardássemos uma memória dessa linguagem sagrada que fala das forças invisíveis do mundo e de nós mesmos.

Talvez a nossa visão profunda e muito pessoal da oração tenha feito com que esse costume universal se tornasse a fonte do nosso afastamento também. Mesmo hoje, quando estamos entrando no terceiro milênio, as emoções falam alto enquanto a ciência e a filosofia debatem o poder da oração. Para os antigos, para os povos nativos e em muitas famílias ocidentais hoje, não é necessária nenhuma prova material do poder da prece. Aqueles que oram observaram as conseqüências de suas rezas durante gerações sem necessidade de comprovação, aferição ou aquilo que se chama prova científica. Para as pessoas de fé, os milagres que acontecem em sua vida são toda prova de que precisam.

Mas, para outros contemporâneos nossos, a capacidade de medir, documentar e comprovar as maravilhas da vida é que permitiu que descobrissem a tecnologia que nos trouxe sãos e salvos até este momento. Os dois caminhos são válidos. Ambos nos levam a fazer as escolhas que determinarão o futuro.

O que seria preciso?

As massas humanas sempre me fascinaram. Olhando para centenas de rostos, sentado num café, num aeroporto ou no banco de uma praça de uma cidade movimentada, muitas vezes imaginei o que seria preciso para levar cada pessoa, que age independentemente e cuida de seus afazeres, a juntar-se às demais num momento de paz e cooperação. Que acontecimento poderia estar acima das diferenças de aparência, além das preocupações da rotina diária, e acordar a memória da história comum, levando todos a repartir o mesmo futuro no único mundo que conhecemos?

Uma escola de pensamento sugere que, como pessoas e nações, nós nos separamos tanto da Terra e uns dos outros, que apenas uma crise de proporções monumentais despertaria a memória da unidade e renovaria a possibilidade de cooperação. Estranhamente, parece que em épocas de adversidade é que procuramos os conhecimentos profundos, expressos como nossa maior força, para triunfar sobre as provações comuns. Nessas ocasiões, um objetivo coletivo adquire precedência sobre diferenças étnicas, sociais e culturais.

A História demonstra que populações diversas tendem a se unir em épocas de crise. Durante o terremoto de Kobe, no Japão, por exemplo, ou nos grandes incêndios no México, ou ainda nos furacões sem precedentes de 1998, pessoas de todas as camadas sociais abandonaram as suas ocupações para oferecer ajuda onde fosse mais necessário. Subitamente, executivos estavam lado a lado com vendedores ambulantes, junto aos escombros de um prédio para ajudar a libertar crianças presas. Presidentes de bancos trabalhavam com a guarda nacional para reforçar barragens prestes a desmoronar. Durante uma das piores tempestades de gelo de toda a História, cinco milhões e duzentas mil pessoas ficaram sem energia elétrica por 33 dias, no inverno de 1998. Em regiões do Canadá e dos Estados Unidos, em comunidades nas quais as pessoas mal se conheciam, todos compartilhavam aquecedores de querosene e fogões a gás.

Talvez um cenário semelhante, possivelmente em escala global, seja o ímpeto para fundir a tecnologia interior da oração, o pensamento quântico e o poder da emoção humana. A ameaça de um asteróide errante voando na direção da Terra, por exemplo, ou uma doença que não possa ser curada pela medicina convencional, poderá ser o agente catalisador para essa cooperação. Felizmente, esses exemplos são hipotéticos, pelo menos no momento. Mas não tão hipotética é a ameaça crescente à frágil paz que o mundo vive desde a última Guerra Mundial, há apenas cinqüenta anos.

Nação contra nação

No início do século XXI, as circunstâncias criaram condições para uma grande polarização dos poderes mundiais, trazendo a ameaça de uma guerra global para o reino das possibilidades. Países que antes eram considerados um fator menor nas estratégias globais, estão adquirindo um papel novo e inesperado no drama que se desenrola no mundo.

Os últimos dois anos do século XX, por exemplo, viram vários países novos juntando-se à classe dos possuidores de armas nucleares. Particularmente surpreendente foram os testes atômicos realizados pela Índia e pelo Paquistão. Apesar dos reiterados pedidos do Conselho de Segurança das Nações Unidas para a sua restrição, a Rússia e os Estados Unidos, os dois principais rivais tecnológicos, continuaram a testar suas armas e seus sistemas de distribuição, defendendo a escalada de armas nucleares em tempo de paz, no interesse de sua segurança nacional.

Embora muitas pessoas não acreditem na possibilidade de uma guerra global, achando que os horrores da Segunda Grande Guerra ainda estão muito vivos na nossa memória para que isso aconteça novamente, é importante estarmos atentos para reconhecer o significado de fatos mundiais que no começo parecem muito distantes e sem relação conosco.

A crise de Kosovo no final do século XX foi um desses acontecimentos. Embora observadores casuais acreditem que eles tenham "começado do nada", os conflitos que levaram à crise originaram-se, na verdade, em tensões seculares na parte da Europa que muitos analistas chamam de "barril de pólvora dos Bálcãs". Depois das limpezas étnicas e atrocidades testemunhadas pelo mundo na Bósnia, menos de dez anos antes, as nações ocidentais não desejavam que uma tragédia semelhante continuasse em Kosovo. Mas a intensidade, duração e forma da intervenção militar foram fatores que dividiram até mesmo as forças aliadas que tentavam mediar. A luta pelo poder na Europa oriental constitui-se num estudo de como um conflito regional pode polarizar inesperadamente os grandes poderes mundiais em posições precárias em lados opostos da mesa de negociações.

A área balcânica é apenas um exemplo de uma situação política com vastas implicações militares. À medida que as Nações Unidas observam os acontecimentos na Europa, continuam também a apoiar um embargo e resistência militar no Iraque. Por causa do aumento da fabricação de armas químicas e biológicas, o Iraque também é um "barril de pólvora". Dessa vez, no Oriente Médio. Mesmo os vizinhos árabes desse país, tradicionalmente considerados aliados, desaprovam a nova capacidade bélica do Iraque e a desestabilização de um equilíbrio já delicado nessa explosiva região do mundo.

Uma época considerada relativamente pacífica, do ponto de vista global, os últimos vinte anos foram, de fato, uma era de tragédias e de tremendo sofrimento em certas regiões. O número de mortos resultantes de movimentos separatistas e guerras civis e religiosas foi estimado em mais de quatro milhões e quinhentas mil pessoas, número que representa toda a população da Louisiana ou do Estado de Israel. Se computarmos os números do conflito no Tibete, a mortandade aumenta em pelo menos mais um milhão, ou talvez mais.

LOCAIS DE TENSÃO NO MUNDO, NO INÍCIO DO TERCEIRO MILÊNIO[6]

Localização	Descrição do conflito	Perda de vidas*
Bósnia-Herzegovina	Oposição sérvia à independência da Bósnia	+ de 200.000
Kosovo	Lutas pela independência dos kosovares	+ de 2.000
Irlanda do Norte	Violência sectária	3.200
Haiti	Guerra civil que levou ao golpe de 1991	?
Chechênia	Muçulmanos lutam contra os russos pela independência	40.000
Sri Lanka	Tamiles combatem os cingaleses desde 1983	56.000
Ruanda	Maioria hutu combate a minoria tutsi	+ de 800.000
República do Congo	Guerra civil	+ de 10.000
Somália	Guerra civil	+ de 300.000
Sudão	Muçulmanos combatem cristãos	1.900.000
Angola	Guerra civil	1.000.000
Serra Leoa	Guerra civil	3.000
Libéria	Guerra civil	250.000
Argélia	Guerra civil	65.000-80.000
Turquia	Guerra civil	37.000
Tibete	Conflito entre a China e o Tibete	1.000.000

* Estatísticas do primeiro trimestre de 1999.

Esses números revelam um mundo nada pacífico! Até fins de 1999, todavia, esses conflitos pareciam localizados e, embora trágicos, pouco relevantes para a vida do mundo ocidental. Mas alguns acontecimentos ocorridos no final de 1998 e em 1999 mudaram a nossa visão de mundo, com os meios de comunicação de massa trazendo o horror dos conflitos regionais e guerras isoladas para dentro dos lares e das salas de aula, de forma nunca vista. Além disso, situações como o rompimento de negociações de paz entre Israel e a Autoridade Palestina, as contínuas tensões na Irlanda do Norte e um repentino avanço na tecnologia nuclear da China contribuem para aquilo que os estudiosos acreditam ser precursores das bem conhecidas profecias, o envenenamento global de uma terceira guerra. A própria quantidade de conflitos representa uma ameaça à estabilidade e se torna uma possibilidade e aumenta à medida que as tensões aumentam.

Visões de guerras

Nas antigas profecias, de fato, abundam visões de quedas de governos no fim do milênio, seguidas por uma guerra particularmente disseminada e terrível. O apóstolo Mateus, por exemplo, referiu-se à nossa época como aquela da qual "haveis pois de ouvir guerras e rumores de guerra (...) porque se levantará nação contra nação e reino contra reino (...)".[7]* Por vezes essas profecias suscitam muitas interpretações quanto à causa e natureza dos acontecimentos. Desde escassez de recursos naturais, como água e petróleo, até disputas sobre terras férteis, muitos profetas viram o início do terceiro milênio como uma era de guerras sem precedentes entre os grandes poderes da Terra. O tema quase universal dos conflitos impregna as previsões para o fim do século, desde as bem conhecidas visões de Edgar Cayce e de Nostradamus até às de profetas menos conhecidos, como o Bispo Christianos Ageda e um vidente da Bavária chamado Stormberger.

Nascido no século XVIII, Stormberger demonstrou uma precisão notável em suas previsões para o século XX. Entre suas profecias havia algumas específicas sobre um conflito que se transformaria na Segunda Grande Guerra, a Grande Depressão e uma terceira tribulação mundial, outra guerra mundial: "Depois da segunda grande luta entre as nações, ocorrerá uma terceira conflagração universal, que decidirá tudo. Haverá armas inteiramente novas. Num dia apenas, morrerão mais homens do que em todas as outras guerras juntas. Suceder-se-ão grandes catástrofes."[8]

Especialmente interessante na visão do futuro de Stormberger é o seu comentário de que a guerra será uma surpresa para muitos. Ele considera aqueles que reconhecem o que está acontecendo como pessoas incapazes de dividir o que sabem: "As nações do mundo entrarão nessas calamidades de olhos abertos. Elas não terão consciência do que está acontecendo, e aqueles que sabem e falam serão silenciados. A terceira grande guerra será o fim de muitas nações."[9] Stormberger não especifica se o fim das nações se deverá ao fato de terem sido absorvidas por outros poderes ou da devastação pelas novas armas.

---

* Mt 24. 6, 7. (N. do T.)

Em um de seus quatrinos mais claros, Nostradamus descreve uma visão de guerra ocorrendo no ano 2000. Na centúria X, quatrino 74, ele escreve: "No ano em que o grande sétimo for completado [2000], haverá uma época de carnificina, não muito distante do grande milênio (...)."[10]

Lembrando as centenas de milhares de refugiados forçados a fugir dos estados balcânicos nos últimos anos do segundo milênio, o Bispo Christianos Ageda, no século IV, previu um tempo em que "haverá guerras e fúria que durarão muito tempo; províncias inteiras perderão seus habitantes, e reinos serão lançados em confusão".[11]

Num documento conhecido como a Profecia de Varsóvia, um monge polonês do século XVIII descreveu a grande guerra como uma época de "nuvens venenosas e raios que queimam mais profundamente do que o sol do equador; exércitos marcharão envoltos em ferro; navios voadores cheios de horríveis bombas e flechas, e estrelas voadoras com fogo sulfúrico que exterminarão cidades inteiras em um instante".[12]

Dos textos acima, emerge um fio de semelhanças quando cada uma das profecias descreve uma época de tragédias, guerra e morte. Embora essas visões estejam abertas à interpretação, o fato de todos os grandes sistemas de crença verem suas profecias sendo cumpridas nesta nossa era certamente merece que se examine melhor a situação atual. A chave para entender essas afirmações proféticas, algumas tão antigas quando o poema épico hindu Mahabharata (Usado para ensinar as tradições hindus, o Mahabharata é composto de aproximadamente cem mil coplas de duas linhas, narrando o *dharma*, ou ação correta.), é que elas representam apenas possibilidades, descrições de acontecimentos que ainda não se cumpriram. As discussões anteriores oferecem uma explicação de como os relatos de tais pormenores podem ter sido inspirados muitos séculos antes de sua época. Além disso, apresentam um contexto dentro do qual considerar essas e outras previsões como vislumbres de uma vasta gama de futuros possíveis. Em vez de descartar essas visões como "loucuras do milênio" ou "jargão apocalíptico", seria melhor indagar o que podemos aprender com elas.

Entre as ambigüidades das antigas profecias e previsões, uma coisa é certa. Por centenas, e em alguns casos milhares, de anos, os antigos profetas viram algo no nosso futuro que os perturbava. Quer a profecia tenha sido feita há cinqüenta anos ou 2.500 anos, as visões dos profetas permanecem notavelmente semelhantes. Nas palavras de sua época, eles descreviam suas experiências num esforço para evitar a tragédia de suas visões. A oportunidade da nossa era é reconciliar os acontecimentos correntes e determinar o papel e a viabilidade das antigas visões na nossa vida hoje.

Temos de nos perguntar se as condições do mundo atual preenchem as visões de outras épocas. Se assim for, talvez o nosso tempo represente os dias nos quais "todas as coisas ocultas serão reveladas"[13] e quando, finalmente, empregaremos a tecnologia perdida da oração para redirecionar as antigas visões de tragédia e sofrimentos.

A oração em massa e as sementes de mostarda

Além das predições escritas dos antigos profetas, as condições que precedem uma época de grandes guerras são mencionadas nas tradições orais de muitos povos nativos. Talvez os acontecimentos que abrem caminho para tais tragédias sejam explicados pelo próprio povo da paz, os hopis. Em algumas de suas profecias, eles afirmam eloqüentemente que, cada vez que a humanidade se desvia das leis naturais que afirmam a vida, suas escolhas se refletem na sociedade e nos sistemas naturais à nossa volta. À medida que o coração e a mente da humanidade se tornam tão separados que eles se esquecem dos outros, a Terra reage para trazer de volta à memória os nossos melhores atributos. "Quando terremotos, enchentes, furacões, secas e fome tornarem-se constantes, terá chegado o tempo do retorno ao caminho verdadeiro." Além de mostrar os sinais de uma tal época, as tradições dos hopis vão ainda mais longe, recomendando um curso de ação para sintonizar o coração e a mente dos homens mais uma vez com a Terra.

Essa profecia, enganosamente simples, nos diz que "quando se usar a oração e a meditação e não as novas invenções para restaurar o equilíbrio, então eles (a humanidade), encontrarão o seu verdadeiro caminho".[14] Essas palavras são simples lembretes do princípio quântico que declara que, para alterar o resultado de acontecimentos já em curso, temos de mudar as nossas convicções quanto ao próprio resultado. Assim, ao atrair a possibilidade compatível com a nova crença, descartamos as atuais condições, *mesmo que já estejam em curso*.

Estudos recentes sobre os efeitos da oração dão nova credibilidade a antigas proposições segundo as quais temos de "fazer alguma coisa" em relação aos horrores do mundo, presentes e futuros. Esses estudos juntam-se a outras evidências que indicam que as orações concentradas, principalmente aquelas feitas em larga escala, têm um efeito, previsível e mensurável, sobre a qualidade de vida, durante o tempo em que durar a prece. Diversas experiências revelam que alguns crimes e acidentes de trânsito específicos têm uma relação estatística direta com as orações feitas durante um certo período, ou seja, o número dessas ocorrências cai enquanto são efetuadas as preces. Depois que estas terminam, as estatísticas retornam aos níveis anteriores.

Os cientistas acreditam que a relação entre a prece em massa e a atividade das pessoas nas comunidades deva-se ao fenômeno conhecido como *efeito de campo* da consciência. Analogamente ao que Joseph afirmou sobre a salva, ou seja, que a experiência de uma planta afeta todo o campo, estudos sobre uma determinada população parecem confirmar essa relação. Dois cientistas, que tiveram um papel importante no desenvolvimento da psicologia moderna, referem-se claramente a esses efeitos em estudos feitos há quase cem anos.

Num trabalho publicado em 1898, por exemplo, William James afirmou que "existe um *continuum* de consciência que une as mentes individuais e que pode ser sentido diretamente se o limiar psicofísico da percepção for suficientemente diminuído por meio do aprimoramento do funcionamento do sistema nervoso".[15] O estudo de James era uma referência moderna a uma zona de consciência, um nível da mente universal, que toca todos os tipos de vida. Usando qualidades específicas de pensamento, sentimento e emoção, podemos ter acesso a essa mente universal e usufruir coletivamente dos seus benefícios. O objetivo de muitas técnicas de prece e meditação é precisamente o de atingir essa condição.

Em palavras de sua época, os ensinamentos antigos descrevem um campo de consciência parecido, alcançado por métodos semelhantes. As tradições védicas falam de um campo unificado de "consciência pura" que permeia toda a criação.[16] Segundo essas tradições, as experiências de pensamento e percepção são consideradas como *perturbações*, interrupções num campo normalmente imóvel. Ao mesmo tempo, é por meio de nosso domínio da percepção e do pensamento que podemos encontrar a unificação da consciência enquanto indivíduos ou enquanto grupo.

É aí que a aplicação desses estudos se torna crucial para os esforços globais para trazer a paz ao nosso mundo. Se considerarmos os conflitos, agressões e guerras no mundo exterior como indicações de tensões na consciência coletiva, o alívio dessas pressões maciças relaxaria as tensões globais. Segundo Maharishi Mahesh Yogi, fundador dos programas de Meditação Transcendental, "Todas as ocorrências de violência, negatividade, crises ou problemas em qualquer sociedade, são apenas a expressão de crescimento de uma tensão na consciência coletiva. Quando o nível de pressão aumenta o bastante, explode em violência de larga escala, guerras e revoltas civis que tornam necessária a intervenção militar". A beleza desse efeito de campo é que, *quando a tensão é aliviada dentro de um grupo, os efeitos são registrados além do grupo imediato*, numa área ainda maior. É esse o pensamento que levou aos estudos da meditação e prece em massa durante a guerra entre Israel e o Líbano, no início da década de 1980.

Em setembro de 1983, foram feitos em Jerusalém alguns trabalhos para analisar o vínculo que existe entre oração, meditação e violência. Aplicando novas tecnologias para verificar uma antiga teoria, indivíduos treinados em meditação transcendental, que é considerada uma forma de oração, foram colocados em lugares estratégicos em Jerusalém durante o conflito com o Líbano. O objetivo do estudo era determinar se ao se reduzir o estado de tensão em populações localizadas, isso se refletiria, de fato, em menos violência e menor agressão em bases regionais.

Os estudos de 1983 seguiram experiências anteriores que indicavam que, até mesmo 1% de uma população praticando formas unificadas de oração e meditação pacificadoras seria o suficiente para reduzir o índice de crimes, acidentes e suicídios. Estudos realizados em 1972 mostraram que 24 cidades dos Estados Unidos, com população de mais de dez mil habitantes, revelavam uma redução estatisticamente mensurável na criminalidade quando 1% (ou seja, cem pessoas para cada população de dez mil) da população participava de alguma prática de meditação.[17] Esse ficou conhecido como o "efeito Maharishi".

Para determinar de que modo certas formas de meditação e prece influenciariam a população geral no estudo feito em Israel, a qualidade da vida foi definida por um índice estatístico baseado no número de incêndios, acidentes de trânsito, ocorrências de crimes, flutuações no mercado de ações e a disposição geral da população. No auge das experiências, 234 participantes meditaram e oraram, ou seja, uma pequena parte da população da grande Jerusalém. Os resultados do experimento mostraram uma relação direta entre o número de participantes e a diminuição de atividade nas várias categorias de qualidade de vida. Quando o número de participantes era alto, o índice das várias categorias declinava. Crimes, incêndios e acidentes aumentaram quando o número de pessoas que rezavam diminuiu.[18]

Esses estudos demonstraram uma grande correlação entre o número de pessoas que rezavam e a qualidade de vida nas vizinhanças imediatas. Pesquisas semelhantes conduzidas em centros populacionais importantes dos Estados Unidos, Índia e Filipinas encontraram correlações parecidas. Dados dessas cidades coletados entre 1984 e 1985 mostraram diminuição nos índices de crimes que "não poderiam ser atribuídos a tendências ou ciclos criminosos, a mudanças na política ou a procedimentos da polícia".[19]

A seara é grande, mas os trabalhadores são poucos

Durante séculos, os profetas e sábios acreditavam que um décimo de 1% da humanidade trabalhando em conjunto num esforço unificado seria o suficiente para alterar a consciência do mundo todo. Se esses dados forem precisos, então um número surpreendentemente pequeno de indivíduos conseguiria plantar as sementes de grandes possibilidades. No momento, a população do mundo é estimada em 6 bilhões de pessoas. Um por cento desses habitantes representa sessenta milhões, e um décimo desse número seria seis milhões de pessoas. Esses 6 milhões de seres humanos correspondem mais ou menos a três quartos da população de Los Angeles.

Embora essas estatísticas representem um número *ideal* para efetuar mudanças, os estudos feitos em Jerusalém e em outros grandes centros populacionais indicam que as cifras para iniciar essas alterações podem ser ainda menores! As pesquisas mostram que os primeiros efeitos da meditação e oração em massa tornam-se perceptíveis quando o número de participantes é maior do que *a raiz quadrada de um por cento da população*.[20] Numa cidade de 1 milhão de habitantes, por exemplo, esses valores representam apenas cem indivíduos!

Aplicando os resultados localizados das cidades testadas a uma população maior em escala global, surgem dados impressionantes e talvez inesperados. Representando apenas uma fração das estimativas dos antigos, a raiz quadrada de 1% da população da Terra é pouco menos do que 8 mil pessoas! Com o advento da Internet e da comunicação computadorizada, certamente é viável a organização de um horário para meditação e oração coordenadas, apoiadas por um mínimo de 8 mil pessoas. É claro que esse número representa apenas *o mínimo necessário* para que o efeito se inicie — uma espécie de limiar. Quanto maior o número de participantes, maior a aceleração do efeito. Essas cifras nos lembram de antigas advertências de que mesmo poucas pessoas podem causar grandes mudanças no mundo todo.

Talvez essa seja a "semente de mostarda" da parábola* que Jesus usou para demonstrar a quantidade de fé necessária aos seus seguidores. O perdido Evangelho Q fala, a respeito dessa fé, que "a seara é grande, mas os trabalhadores são poucos".[21] Com as evidências desse potencial, quais são as implicações de canalizar uma energia coletiva como essa para os grandes desafios do nosso tempo? Talvez já tenhamos testemunhado o efeito

---

* Mt 13.31, 32, 17.20; Mc 4.31, 32; Lc 13.19, 17.6. (N. do T.)

dessas escolhas globais em situações como a oração pela paz na iminência da ação militar no Iraque, em novembro de 1998.

Pensar os pensamentos dos anjos

Estudiosos, pesquisadores e cientistas identificaram as condições que, acreditam, levarão a desastres de proporções catastróficas no século XXI. Uma combinação de políticas, mudanças sociais e padrões climáticos rigorosos já tiraram a vida de centenas de milhares de pessoas, principalmente mulheres e crianças, nos últimos dias do século XX. Embora já estejam sendo feitos esforços bem-intencionados para aliviar as presentes condições, esse alívio será apenas temporário.

Em vez de procurar respostas em tratados políticos e soluções militares, talvez agora seja a hora de reconhecê-los como uma ponte para um novo modo de pensar. Parece que chegamos a uma época crítica na evolução dos governos e nações, quando o padrão de exigências seguidas pela força simplesmente não funciona mais como há cinqüenta anos. O uso criterioso da força pode servir em incidentes isolados de curta duração. Todas as vezes que fazemos uma "bandagem militar", todavia, é o mesmo que colocar o dedo sobre um buraco num balão cheio de água. Aquilo que parece ser um "conserto" num lugar do balão transforma-se em inchaço em outro. É exatamente isso o que acontece na política global. *Para mudar as condições que levam à guerra e ao sofrimento em massa, temos de alterar o pensamento que permitiu a existência dessas condições.*

Vivemos num mundo de *consentimento coletivo*. As condições das guerras e sofrimento em larga escala refletem os elementos que tornam possíveis essas condições em pequena escala. Por vezes conscientemente e outras vezes não, consentimos que as expressões da nossa vontade grupal surjam em formas de que nem mesmo suspeitamos. Em níveis inconscientes, os nossos pensamentos, atitudes e ações mútuos de todos os dias contribuem para as crenças coletivas que levam às guerras e ao sofrimento do mundo.

A criação, por exemplo, de uma mentalidade que espera a guerra no mundo e se prepara para ela *só pode surgir se permitirmos esses conflitos na nossa vida pessoal.* Quando vivemos episódios de "autodefesa" na vida amorosa e nos relacionamentos pessoais, "ser mais esperto" do que os outros na escola e "passar por cima" de colegas e concorrentes, a física quântica nos mostra que essas expressões individuais abrem caminho para expressões semelhantes, de maior magnitude, em outra época e outro lugar. Para chegarmos à paz mundial, temos de trazer paz para nossa vida. Sob a perspectiva quântica, não faz sentido empurrar os outros da nossa frente para conseguir pegar o carro estacionado, depois dirigir atabalhoadamente, passando na frente de todos, enquanto corremos para uma passeata em defesa da paz mundial.

A sutileza desses conceitos ficou ainda mais clara para mim nos momentos finais de uma entrevista que dei, logo depois do início da crise em Kosovo, no começo de 1999. Uma estação de rádio sindicalizada ouvida em todos os Estados Unidos cedeu gentilmente a primeira hora de um programa ao vivo, para que eu apresentasse minhas idéias e propusesse alternativas, antes de responder a perguntas dos ouvintes ao vivo. Eu estava justamente descrevendo os conceitos quânticos de inúmeros resultados e o poder da oração na escolha do nosso futuro, quando entrou a ligação. O apresentador convidou o ouvinte a fazer a sua pergunta. Depois de elogiar a entrevista, o ouvinte disse:

— Gregg, compreendi o que você disse sobre o poder da oração e como muitas pessoas rezando juntas têm mais força do que as preces individuais. A minha pergunta é, por que você não organiza uma vigília e usa o poder da prece coletiva para causar um ataque cardíaco no ditador responsável por todos esses problemas na Europa oriental?

Fez-se um silêncio desagradável enquanto o moderador e eu pensávamos na pergunta.

— Suponho que seja a minha vez de responder — disse eu, quebrando o silêncio.

— Ela é toda sua — replicou o moderador.

— Tirar a vida de um líder mundial, mesmo para interromper a violência em seu país, significa não compreender o poder da oração. É exatamente esse tipo de pensamento que levou às atrocidades da guerra, para começar — afirmei. — Embora possamos nos enganar pensando que tirar a vida de uma pessoa resolva o problema imediato, em algum lugar do mundo veremos as conseqüências de nossas ações, possivelmente de uma forma que jamais teríamos esperado. A oração está acima da imposição da nossa vontade sobre os outros. A prece representa uma oportunidade de nos tornarmos melhores, empregando a ciência do sentimento para trazer novas possibilidades a uma situação já existente.

— Eu acho que entendo o que você quer dizer — disse o ouvinte. — Eu não havia pensado nisso. Mas talvez, em vez de matá-lo, possamos apenas feri-lo. Talvez isso resolva tudo.

O moderador interrompeu o programa com uma pausa para os comerciais, dando-me oportunidade para resumir a entrevista e encerrar o programa. Durante toda a noite e nos dias seguintes pensei sobre aquele ouvinte e a dor que ele deve ter sofrido em sua vida para levá-lo a uma conclusão daquelas. Embora eu acredite que a pergunta dele representasse um ponto de vista extremo, esse homem demonstrou com que profundidade o pensamento belicoso está imbuído na nossa cultura. Por que nos admiramos com a matança em massa nas nossas casas, escritórios e escolas, quando aceitamos o mesmo tipo de pensamento, numa escala maior, em nome da paz?

Quer vejamos o mundo da perspectiva de antigas tradições ou da física quântica, temos de rever completamente a idéia que tínhamos no passado em relação aos conflitos. Ambos os paradigmas, a ciência e a filosofia antiga, nos mostram que não deve haver "nós" e "eles". Existe apenas o "nós" e já transcendemos as condições sob as quais é imperativo impor a nossa vontade e idéia de mudar a vida dos outros. Um exame dos conflitos relacionados anteriormente revela que, embora isso possa ter sido efetivo no passado, não eram soluções permanentes, apenas nos deram algum tempo para reconhecer as novas escolhas. Quando preferimos respeitar a vida no mundo cotidiano, testemunhamos o valor de nossas escolhas para terminar com as guerras e tornar obsoletas as agressões.

A oração muitas vezes foi considerada uma atitude passiva. Em diversas ocasiões, perguntaram-me o que eu "faria realmente" em relação a uma determinada crise mundial. Nesses casos, a oração era tida como uma medida secundária em vista da atitude de "realmente fazer algo". Do ponto de vista das antigas tradições, agora apoiadas pela pesquisa moderna, a nossa capacidade de comungar com as forças do cosmo, escolher o caminho através do tempo para determinar o curso da história futura, talvez seja a força única, sofisticada e poderosa, para dignificar o mundo.

A prece é uma força concreta, mensurável e direta na criação. A oração é real. *Orar é "fazer algo"!* O que mais podemos fazer? As soluções do passado estão falhando no presente. Rezar é o ato de redefinir os fundamentos do ódio, da violência étnica e da guerra. A ação simplesmente ocorre de uma forma bem diferente da nossa idéia do que era "fazer" no passado. Pode ser assim tão fácil? É possível que, para refletir a paz do nosso coração na realidade do mundo, tenhamos de escolher essa realidade, sentindo o resultado como se o mesmo já tivesse acontecido? Acontecimentos recentes, aos olhos do mundo, parecem dizer que a resposta é sim.

Agora, no início do século XXI, estamos no limiar de uma era na qual a sobrevivência de nossa espécie poderá depender da nossa capacidade de conciliar a ciência interior e a exterior exatamente nessas tecnologias. Ao tornarmos a definir o papel das afiliações políticas, alianças militares e as fronteiras das nações, o poder da oração em massa não pode ser descartado. As implicações de aplicar a tecnologia da prece em escala global são imensas, de proporções talvez imperscrutáveis. A nossa vida representa um momento raro no qual, possivelmente pela primeira vez na História, podemos determinar a conclusão deste momento! Transcendendo a ciência, a religião e as tradições místicas, os essênios afirmam que é nessa época, por meio do uso da ciência perdida da oração e da profecia, que surge a cura para todos os seres, formados e informes, e que a paz prevalece em todos os mundos. É durante a vida que os habitantes da Terra conhecerão todos os segredos dos "anjos do céu".

Sem julgar bons ou maus, certos ou errados os acontecimentos de cada dia, temos de escolher um novo ponto de vista, uma opção mais elevada como uma reação ao horror desses eventos. Se os princípios da oração e da paz forem válidos, então o sofrimento dos que vivem na África, nos Bálcãs, no Oriente Médio e em qualquer outro lugar passa a ser nosso também. Os antigos segredos da cura revelam que, neste mundo, todos somos um. Quando aliviamos a dor dos outros, minoramos o nosso sofrimento também. Quando amamos os outros, amamos a nós mesmos. Todos os homens, mulheres e crianças deste mundo têm o poder de criar uma nova possibilidade, de mudar o pensamento que permite o sofrimento.

Os que viveram antes de nós prepararam bem o caminho para esta época da História. Temos a oportunidade de escolher um novo caminho diante de desafios que parecem aumentar diariamente. Temos de pensar e de fazer no mundo aquilo que fazem os que estão no céu. Assim, despertamos uma tecnologia esquecida do sono da memória coletiva e, finalmente, traremos as condições do céu para a terra.

Em suas próprias palavras, os sábios de Qumran registraram os ensinamentos de seus grandes mestres, preservando-os para momentos como este, quando o estímulo daqueles que foram antes de nós nos fortalece para viver e amar neste mundo, por mais um dia. Somos lembrados de que: "Levantar os olhos para o céu quando os olhos de outros se voltam para o chão, não é fácil. Adorar aos pés dos anjos quando outros adoram a fama e a riqueza não é fácil. Mas talvez o mais difícil seja pensar os pensamentos dos anjos, falar as palavras dos anjos e fazer o que fazem os anjos."[22]

Últimas palavras

A história veio ao meu conhecimento alguns momentos antes de iniciar a primeira noite de uma série de três dias de conferências. Durante a maior parte do dia, pensei em como iniciar o programa daquela noite. Embora eu tivesse idéia do tempo que passaríamos juntos depois da abertura, ainda era um mistério como seriam os primeiros momentos. Nessas ocasiões de incerteza, quando as soluções aceitáveis parecem ser apenas uma possibilidade remota, descubro que geralmente uma peça do quebra-cabeça está faltando, algo de que ainda não sei. A confiança que tenho no sentimento e na certeza de que algo acontecerá, em geral substitui os momentos de pânico por uma estranha calma.

Entrei no refeitório e abri um grande envelope que me havia sido entregue durante o dia. Eram relatos de triunfos humanos, um dos quais me comoveu a tal ponto que as lágrimas correram-me pelo rosto antes mesmo de terminar a leitura. Mais tarde, durante a conferência, tive a oportunidade de contar a história a uma audiência de centenas de pessoas. A história teve o mesmo efeito sobre elas. A notícia que recebi descrevia um incidente ocorrido nas Olimpíadas Especiais de 1998.

As Olimpíadas Especiais são organizadas para dar oportunidade a crianças e jovens de se reunirem num espírito amistoso de competição. O que torna esses jogos olímpicos diferentes é que todos os competidores têm de vencer o desafio físico ou mental das condições que os impedem de participar das Olimpíadas Mundiais, que chamam a atenção do mundo todo a cada quatro anos. O artigo era sobre a história de nove crianças que ficaram amigas durante a estada nos alojamentos olímpicos em 1998.

Certa manhã, elas tiveram que competir juntas na mesma modalidade esportiva. Ao ser dado o tiro para o início, elas partiram para a linha de chegada, na outra extremidade da pista. Foi um jovem com Síndrome de Down que tornou tão comovente esse relato. Quando os outros competidores corriam pela pista utilizando todos os seus recursos para chegar, esse menino especial parou e olhou para trás, para a linha de partida. Ele viu que um de seus companheiros havia caído logo no início da corrida e lutava para se levantar.

O menino com síndrome de Down parou subitamente e começou a andar na direção do amigo. Um por um, todos os outros competidores perceberam o que estava acontecendo, viraram-se e o seguiram, até que todos chegaram ao ponto onde haviam começado. Ajudando o amigo a se levantar, eles se deram os braços e caminharam juntos até a linha de chegada. Nesse momento aquelas nove crianças definiram novamente as regras da competição. Com o cronômetro ainda funcionando, eles foram além dos limites do tempo e do esporte para criar uma experiência na qual cada um terminou à sua maneira, todos ao mesmo tempo. Não fazia sentido para eles chegar ao final sem os demais.

Essa história é importante por duas razões. Todas as vezes em que ela é contada, a imagem das crianças andando juntas desperta uma forte emoção. Em vez de tristeza ou frustração, o sentimento pode ser descrito como esperança. Essa emoção abre a porta para possibilidades maiores e novos resultados na nossa vida. Além disso, o relato proporciona um belo exemplo de como um grupo de jovens, na inocência do seu amor mútuo, definiu novamente o resultado de sua experiência aplicando uma nova regra a uma condição já existente. À sua maneira, as crianças da Olimpíada Especial mostraram as grandes possibilidades da vida, quando passamos por um raro momento da História.

Vimos que é possível mudar os parâmetros das profecias para o futuro. As evidências mostram que, cada vez que reagimos aos desafios da vida cotidiana, estamos intercedendo em nosso próprio favor. Talvez a melhor maneira de demonstrar isso seja examinar a natureza da compaixão, do tempo, do perdão e da oração através dos olhos daqueles que viveram antes de nós. Nas palavras de sua época, somos lembrados de que todos somos um aqui e, acima de tudo, que viemos para este mundo para amar.

NOTAS

INTRODUÇÃO

1. *The New American Bible, Saint Joseph Edition,* "O livro de Isaías", capítulo 24, versículo 3 (Nova York: Catholic Book Publishing Co., 1970), 847.*

2. *Ibid.*, capítulo 35, versículos 6, 7.

3. *Ibid.*, capítulo 29, versículo 18.

4. David W. Orme-Johnson, Charles N. Alexander, John L. Davies, Howard M. Chandler e Wallace E. Larimore, "International Peace Project in the Middle East", *The Journal of Conflict Resolution* 32, n.º 4 (dezembro de 1988), 776-812.

5. Michael C. Dillbeck, Garland Landrith III, and David W. Orme-Johnson, "The Transcendental Meditation Program and Crime Rate Change in a Sample of Forty-Eight Cities", *Journal of Crime and Justice 4* (1981), 25-45.

6. John E Harris, "U.S. Launches, Then Aborts Airstrikes after Iraq Relents on U.N. Inspections", *Washington Post,* 15 de novembro de 1998.

CAPÍTULO 1
A VIDA NA ÉPOCA PROFETIZADA

1. Matthew Bunson, *Prophecies: 2000: Predictions, Revelations and Visions for the New Millennium* (Nova York: Simon & Schuster, 1999), 31.

2. Ron Cowen, "Gamma-Ray Burst Makes Quite a Bang", *Science News* 135 (8 de abril de 1998), 292. Relatado originalmente por S. George Djorgovski do California Institute of Technology, em Pasadena, *in Nature,* 7 de maio de 1998.

3. Doug Isbell, Bill Steigerwald e Mike Carlowicz, "Twin Comets Race to Death by Fire", NASA Goddard Space Flight Center (http ://umbra.nascom.nasa.gov/comets/comet release.html, e http://umbra.nascom.nasa.gov/comets/SOHO sungrazers. html), 3 de junho de 1998.

---

* Na tradução deste livro para o português, utilizamos a tradução da Bíblia feita pelo pe. António Pereira de Figueiredo. (N. do T.)

4. Jonathan Eberhart, "Fantastic Fortnight of Active Region 5395", *Science News* 153 (9 de maio de 1998), 212. Relatado por Patrick S. McIntosh do laboratório comportamental da National Oceanographic and Atmospheric Administration's Space Environment em Boulder, Colorado.

5. Joseph B. Gurman, "Solar Proton Events Affecting the Earth Environment," NOAA Space Sciences Environment Services Center (http://umbra.gsfc.nasa.gov/SEP/seps.html). A partir da versão revisada de 25 de agosto de 1998.

6. Richard Monastersky, "Recent Years Are Warmest Since 1400". *Science News* 153 (9 de maio de 1998), 303. Relatado originalmente por Michael E. Mann da Universidade de Massachusetts, Amherst, *in Nature*, 23 de abril de 1998.

7. Richard Monastersky "Satellites Misread Global Temperatures", *Science News* 154 (15 de agosto de 1998), 100. Relatado originalmente por Douglas M. Smith do United Kingdom Meteorological Office, in Bracknell, *in Geophysical Research Letters*, 15 de fevereiro de 1998.

8. Richard Monastersky, "Antarctic Ice Shelf Loses Large Piece", *Science News* 153 (9 de maio de 1998), 303. Relatado originalmente por Ted Scambos do National Snow and Ice Data Center, em Boulder, Colorado.

9. Richard Monastersky, "Signs of Unstable Ice in Antarctica", *Science News* 154 (11 de julho de 1998), 31. Relatado originalmente por Reed P. Scherer da Universidade de Uppsala, Suécia, *in Science*, 3 de julho de 1998.

10. Matt Mygaff, "Sudden Occurrence of Radio Waves at Galactic Center Puzzles Scientists", relatado em *Valley Times* (Livermore, Califórnia), da reportagem da Associated Press, 5 de maio de 1991.

11. Tom Majeski, "Airport Renames 2 Runways as Magnetic North Pole Drifts", *St. Paul Pioneer Press*, 7 de outubro de 1997. Transcrição da entrevista concedida por Bob Huber, diretor-assistente do Airports District Office do Federal Aviation Administration.

12. Richard Monastersky, "Earth's Magnetic Field Follies Revealed", *Science News* 147 (22 de abril de 1995), 244. Relatado originalmente por Robert S. Coe da Universidade da California, Santa Cruz, e por Michel Prevot e Pierre Camps da Universidade de Montpelier, na França.

13. Edmond Bordeaux Szekely, org. e trad., *The Essene Gospel of Peace* (Matsqui, B.C., Canada: I.B.S. Internacional, 1937), 19. [*O Evangelho Essênio da Paz*, publicado pela Editora Pensamento, São Paulo, 1997.]

14. Michael Drosnin, *The Bible Code* (Nova York: Simon & Schuster, 1997), 173. [*O Código da Bíblia*, publicado pela Editora Cultrix, São Paulo, 1997.]

15. David W. Orme-Johnson, *et al.*, "International Peace Project in the Middle East", *The Journal of Conflict Resolution* 32, nº 4 (dezembro de 1988), 778.

16. Jeffrey Satinover, M.D., *Cracking the Bible Code* (Nova York: William Morrow, 1997), 244. [*A Verdade por trás do Código da Bíblia*, publicado pela Editora Pensamento, São Paulo, 1998.]

CAPÍTULO 2
PALAVRAS PERDIDAS DE UM POVO ESQUECIDO

1. *The Lost Books of the Bible and the Forgotten Books of Eden* (Nova York: New American Library, 1963).
2. *Ibid.*, prefácio ao Livro I.
3. *Ibid.*
4. *Ibid.*, introdução ao Livro III.
5. *Ibid.*, "O Evangelho da natividade de Maria"*, capítulo 2, versículo 10, 19.
6. *Ibid.*, "Livro I de Adão e Eva", capítulo 1, versículos 1,2 p. 4.
7. Edmond Bordeaux Szekely, org. e trad., *The Essene Gospel of Peace*, Livro III (Matsqui, B.C., Canadá, I.B.S. Internacional, 1937), 39.
8. *Ibid.*, 11.
9. Szekely, *The Essene Gospel of Peace*, 39.
10. *The Dead Sea Scrolls***, traduzido e comentado por Michael Wise, Martin Abegg Jr. e Edward Cook (Nova York: HarperSanFrancisco, 1999), 8.
11. Szekely, *The Essene Gospel of Peace*, Livro IV, 34.
12. *Ibid.*, Livro I, 10.
13. James M. Robinson, org., *The Nag Hammadi Library****, tradução e introdução dos membros do Coptic Gnostic Library Project do Institute for Antiquity and Christianity, Clearmont, Califórnia (Nova York: HarperSanFrancisco, 1990), 279.
14. *Ibid.*
15. *Ibid.*, 285.
16. Robinson, *The Nag Hammadi Library*, "The Thunder: Perfect Mind", 295.
17. *Ibid.*, 297.
18. *Ibid.*

---

* Para todos os evangelhos apócrifos, baseamo-nos em *Apócrifos, Os Proscritos da Bíblia*, São Paulo: Mercuryo, 1995, três volumes. Para os textos cuja canonicidade esteve em discussão até o Concílio de Nicéia, utilizamos *Padres Apostólicos*, São Paulo: Paulus, 1995. Coleção Patrística. (N. do T.)
** Para esta tradução baseamo-nos em Vermes, Geza, *Os manuscritos do mar Morto*, São Paulo: Mercúryo, 1997 e Laperrousaz, E. M. *Os manuscritos do mar Morto*, São Paulo: Cultrix, 1995. (N. do T.)
*** Utilizamos: Kuntzmann, R. e Dubois, J. –D. *Nag Hammadi, O Evangelho de Tomé*, São Paulo: Edições Paulinas, 1990. (N. do T.)

19. Burton L. Mack, *The Lost Gospel. The Book of and Christian Origins* (Nova York: HarperSanFrancisco, 1994), 295.

20. Robinson, *The Nag Hammadi Library,* "The Gospel of Thomas", 128.

CAPÍTULO 3
AS PROFECIAS

1. Michael D. Coe, *Breaking the Maya Code* (Nova York: Thames and Hudson, 1993), 61.

2. José Arguelles, *The Mayan Factor* (Santa Fé: Bear & Company, 1987), 145.

3. *Ibid.*, 126.

4. Richard Laurence, trad., *The Book of Enoch the Prophet,* capítulo VII, versículos 11, 12, traduzido de um manuscrito etíope que se encontra na Biblioteca Bodleiana (San Diego: Wizards Bookshelf Secret Doctrine Reference Series, 1983), 7.

5. Jim Schnabel, *Remote Viewers: The Secret History of America's Psychic Spies* (Nova York: Bantam Doubleday Deli, 1997), 12-13.

6. *Ibid.*, 380.

7. John Hogue, *Nostradamus, The Complete Prophecies* (Boston: Element Books, 1999), 798.

8. Mark Thurston, Ph.D., *Millennium Prophecies, Predictions for the Coming Century from Edgar Cayce* (Nova York: Kensington Books, 1997), 5.

9. *Ibid.*, 6.

10. *Ibid.*

11. *Ibid.*, 35.

12. *Ibid.*, 34.

13. Tom Majeski, "Airport Renames 2 Runways as Magnetic North Pole Drifts", *St. Paul Pioneer Press,* 7 de outubro de 1997. (Transcrição da entrevista concedida por Bob Huber, diretor assistente do Airports District Office do Federal Aviation Administration.

14. Thurston, *Millennium Prophecies,* 34.

15. *Ibid.*, 35.

16. *Ibid.*, 110.

17. Laurence, *The Book of Enoch the Prophet,* 4.

18. *Ibid.*, 1.

19. *Ibid.*, 57.

20. *The New American Bible, Saint Joseph Edition,* Prefácio ao livro de Daniel (Nova York: Catholic Book Publishing Co., 1970), 1021.

21. John E Walvoord, *Every Prophecy of the Bible* (Colorado Springs, Col.: Chariot Victor Publishing, 1999), 212.

22. Neil Douglas-Klotz, *Prayers of the Cosmos: Meditations on the Aramaic Words of Jesus* (Nova York: HarperSanFrancisco 1994), 12-13.

23. Edmond Bordeaux Szekely, *The Essene Gospel of Peace*, Livro II (Matsqui, B.C., Canada: I.B.S. Internacional, 1937), 114.

24. *Ibid.*

25. *Ibid.*, 125.

26. *Ibid.*, 126.

27. *Ibid.*

28. *Ibid.*, 127.

29. *Ibid.*, 55.

30. Michael Drosnin, *The Bible Code* (Nova York: Simon & Schuster, 1997), 19.

31. *Ibid.*, 174.

32. Jack Cohen e Ian Stewart, *The Collapse of Chaos* (Nova York: Penguin Books, 1994), 44-45.

33. Drosnin, *The Bible Code,* 155.

CAPÍTULO 4
ONDAS, RIOS E ESTRADAS

1. Jeffrey Satinover, M.D., *Cracking the Bible Code* (Nova York: William Morrow, 1997), 233.

2. *Ibid.*, 232.

3. *Ibid.*, 244.

4. Eugene Mallove, "The Cosmos and the Computer: Simulating the Universe", *Computers in Science* 1, nº 2 (Setembro/outubro de 1987).

5. Fred Alan Wolf, *Parallel Universe: The Search for Other Worlds* (Nova York: Simon & Schuster, 1990), 33, 38.

6. Edmond Bordeaux Szekely, org. e trad., *The Essene Gospel of Peace*, Livro II (Matsqui, B.C., Canada: IBS International, 1937), 37-39.

7. Jack Cohen e Ian Stewart, *The Collapse of Chaos* (Nova York: Penguin Books, 1994), 191.

8. Robert Boissiere, *Meditations With the Hopi* (Santa Fé: Bear & Company, 1986), 110.

9. *Ibid.*, 113.

10. Thomas E. Mails e Dan Evehema, *Hotevilla: Hopi Shrine of the Covenant* (Nova York: Marlowe & Company, 1995), 564.

11. Boissiere, *Meditations With the Hopi,* 117.

12. John Davidson, *The Secret of the Creative Vacuum* (The C. W. Daniel Company Limited, 1989).

13. Michael Drosnin, *The Bible Code* (Nova York: Simon & Schuster, 1997), 173.

CAPÍTULO 5
O EFEITO ISAÍAS

1. *The New American Bible, Saint Joseph Edition,* "O livro de Isaías", capítulo 24, versículo 5 (Nova York: Catholic Book Publishing Co., 1970), 847.

2. *Ibid.*, capítulo 24, versículo 23, 847.

3. *Ibid.*, capítulo 65, versículos 17-20, 890.

4. John E. Walvoord, *Every Prophecy of the Bible* (Colorado Springs: Chariot Victor Publishing, 1999), 279.

5. As informações sobre orações de paz em andamento, como a vigília coordenada no dia 13 de novembro de 1998, encontram-se na Internet em http://www.worbdpuja.org.

6. *New American Bible,* "O livro de Isaías", capítulo 29, versículo 11,853.

7. *Ibid.*, capítulo 25, versículos 6-7, 848.

8. *Ibid.*, capítulo 25, versículo 4, 848.

9. *Ibid.*, capítulo 25, versículo 6, 848n.

10. *Ibid.*, "Bible Dictionary", 335.

CAPÍTULO 7
O IDIOMA DE DEUS

1. Edmond Bordeaux Szekely, org. e trad., *The Essene Gospel of Peace,* Livro II (Matsqui, B.C., Canada: I.B.S. International, 1937), 32.

2. Szekely, *The Essene Gospel of Peace,* Livro IV, 30.

3. *Ibid.*, 30–31.

4. Neville, *The Power of Awareness* (Marina del Rey, Calif.: DeVorss Publications, 1961), 10.

5. Neville, *The Law and the Promise* (Marina del Rey, Calif.: DeVorss Publications, 1961), 14.

6. Holy Bible, Authorized King James Version, New Testament, João, capítulo 16, versículos 23, 24 (Grand Rapids, Mich.: World Publishing, 1989), 80.

7. Neil Douglas-Klotz, *Prayers of the Cosmos: Meditations on the Aramaic Words of Jesus* (Nova York: HarperSanFrancisco, 1994), 86-87.

CAPÍTULO 8
A CIÊNCIA DO HOMEM

1. Fred Alan Wolf, *Parallel Universes: The Search for Other Worlds* (Nova York: Simon & Schuster, 1990), 48.

2. Glen Rein, Ph.D., Mike Atkinson e Rollin McCraty, M.A., "The Physiological and Psychological Effects of Compassion and Anger", *Journal of Advancement in Medicine* 8, nº 2 (verão de 1995), 87-103.

22. Neil Douglas-Klotz, *Prayers of the Cosmos: Meditations on the Aramaic Words of Jesus* (Nova York: HarperSanFrancisco 1994), 12-13.

23. Edmond Bordeaux Szekely, *The Essene Gospel of Peace*, Livro II (Matsqui, B.C., Canada: I.B.S. Internacional, 1937), 114.

24. *Ibid.*

25. *Ibid.*, 125.

26. *Ibid.*, 126.

27. *Ibid.*

28. *Ibid.*, 127.

29. *Ibid.*, 55.

30. Michael Drosnin, *The Bible Code* (Nova York: Simon & Schuster, 1997), 19.

31. *Ibid.*, 174.

32. Jack Cohen e Ian Stewart, *The Collapse of Chaos* (Nova York: Penguin Books, 1994), 44-45.

33. Drosnin, *The Bible Code,* 155.

CAPÍTULO 4
ONDAS, RIOS E ESTRADAS

1. Jeffrey Satinover, M.D., *Cracking the Bible Code* (Nova York: William Morrow, 1997), 233.

2. *Ibid.*, 232.

3. *Ibid.*, 244.

4. Eugene Mallove, "The Cosmos and the Computer: Simulating the Universe", *Computers in Science* 1, n° 2 (Setembro/outubro de 1987).

5. Fred Alan Wolf, *Parallel Universe: The Search for Other Worlds* (Nova York: Simon & Schuster, 1990), 33, 38.

6. Edmond Bordeaux Szekely, org. e trad., *The Essene Gospel of Peace*, Livro II (Matsqui, B.C., Canada: IBS International, 1937), 37-39.

7. Jack Cohen e Ian Stewart, *The Collapse of Chaos* (Nova York: Penguin Books, 1994), 191.

8. Robert Boissiere, *Meditations With the Hopi* (Santa Fé: Bear & Company, 1986), 110.

9. *Ibid.*, 113.

10. Thomas E. Mails e Dan Evehema, *Hotevilla: Hopi Shrine of the Covenant* (Nova York: Marlowe & Company, 1995), 564.

11. Boissiere, *Meditations With the Hopi,* 117.

12. John Davidson, *The Secret of the Creative Vacuum* (The C. W. Daniel Company Limited, 1989).

13. Michael Drosnin, *The Bible Code* (Nova York: Simon & Schuster, 1997), 173.

CAPÍTULO 5
O EFEITO ISAÍAS

1. *The New American Bible, Saint Joseph Edition,* "O livro de Isaías", capítulo 24, versículo 5 (Nova York: Catholic Book Publishing Co., 1970), 847.

2. *Ibid.*, capítulo 24, versículo 23, 847.

3. *Ibid.*, capítulo 65, versículos 17-20, 890.

4. John E. Walvoord, *Every Prophecy of the Bible* (Colorado Springs: Chariot Victor Publishing, 1999), 279.

5. As informações sobre orações de paz em andamento, como a vigília coordenada no dia 13 de novembro de 1998, encontram-se na Internet em http://www.worbdpuja.org.

6. *New American Bible,* "O livro de Isaías", capítulo 29, versículo 11,853.

7. *Ibid.*, capítulo 25, versículos 6-7, 848.

8. *Ibid.*, capítulo 25, versículo 4, 848.

9. *Ibid.*, capítulo 25, versículo 6, 848n.

10. *Ibid.*, "Bible Dictionary", 335.

CAPÍTULO 7
O IDIOMA DE DEUS

1. Edmond Bordeaux Szekely, org. e trad., *The Essene Gospel of Peace*, Livro II (Matsqui, B.C., Canada: I.B.S. International, 1937), 32.

2. Szekely, *The Essene Gospel of Peace*, Livro IV, 30.

3. *Ibid.*, 30–31.

4. Neville, *The Power of Awareness* (Marina del Rey, Calif.: DeVorss Publications, 1961), 10.

5. Neville, *The Law and the Promise* (Marina del Rey, Calif.: DeVorss Publications, 1961), 14.

6. Holy Bible, Authorized King James Version, New Testament, João, capítulo 16, versículos 23, 24 (Grand Rapids, Mich.: World Publishing, 1989), 80.

7. Neil Douglas-Klotz, *Prayers of the Cosmos: Meditations on the Aramaic Words of Jesus* (Nova York: HarperSanFrancisco, 1994), 86-87.

CAPÍTULO 8
A CIÊNCIA DO HOMEM

1. Fred Alan Wolf, *Parallel Universes: The Search for Other Worlds* (Nova York: Simon & Schuster, 1990), 48.

2. Glen Rein, Ph.D., Mike Atkinson e Rollin McCraty, M.A., "The Physiological and Psychological Effects of Compassion and Anger", *Journal of Advancement in Medicine* 8, nº 2 (verão de 1995), 87-103.

3. *Ibid.*
4. Edmond Bordeaux Szekely, org. e trad., *The Essene Gospel of Peace*, Livro II (Matsqui, B.C., Canada: I.B.S. Internacional, 1937), 64-65.
5. *Ibid.*, 61.
6. Holy Bible, Authorized King James Version, New Testament, Marcos, capítulo 11, versículo 23 (Grand Rapids, Mich.: World Publishing, 1989), 34.
7. Hans Jenny, *Cymatics: Bringing Matter to Life with Sound*, vídeo (Brookline, Mass.: MACROmedia, 1986).
8. Neville, *The Law and the Promise* (Marina del Rey, Calif.: DeVorss Publications, 1961), 13.
9. Szekely, *The Essene Gospel of Peace*, Livro IV, 30.
10. *Ibid.*, 30-33.
11. *Ibid.*, 15.
12. Szekely, *The Essene Gospel of Peace*, Livro III, 71.
13. Szekely, *The Essene Gospel of Peace*, Livro II, 66-68.
14. Glen Rein, Ph.D., e Roliin McCraty, M.A., "Modulation of DNA by Coherent Heart Frequencies", comunicação feita na II Conferência Anual da The International Society for the Study of Subtle Energies and Energy Medicine, Monterey, Calif., junho de 1993.
15. Vladimir Poponin, "The DNA Phantom Effect: Direct Measurement of a New Field in the Vacuum Substructure", relatório inédito, Institute of HeartMath, Research Division, Boulder Creek, Calif.
16. Szekely, *The Essene Gospel of Peace*, Livro II, 31.
17. Poponin, "The DNA Phantom Effect".

CAPÍTULO 9
A CURA DOS CORAÇÕES, A CURA DAS NAÇÕES

1. Edmond Bordeaux Szekely, org. e trad. *The Essene Gospel of Peace*, Livro II (Matsqui, B.C., Canada: I.B.S. Internacional, 1937), 32.
2. Glen Rein, Ph.D., e Rollin McCraty, M.A., "Modulation of DNA by Coherent Heart Frequencies", comunicação feita na III Conferência Anual da The International Society for the Study of Subtle Energies and Energy Medicine, Monterey, Calif., June 1993, 2.
3. *The Gospel of the Nazirenes,* editado e restaurado com consulta de documentação histórica feita por Alan Wauters e Rick VanWyhe, "Prologue: The Historical Context" (Arizona: Essene Vision Books, 1997), XXVIII-XXIX.
4. Szekely, *The Essene Gospel of Peace*, Livro II, 71.
5. Szekely, *The Essene Gospel of Peace*, livro II, 47.
6. "When to Jump In: The World's Other Wars", *Time*, 19 de abril de 1999, 30.

7. Matthew Bunson, *Prophecies: 2000: Predictions, Revelations and Visions for the New Millennium* (Nova York: Simon & Schuster, 1999), 31.

8. *Ibid.*, 30.

9. *Ibid.*

10. Bunson, *Prophecies: 2000,* 31.

11. *Ibid.*, 35.

12. *Ibid.*, 38.

13. Richard Laurence, tr., *The Book of Enoch the Prophet,* capítulo LI, versículo 5 (San Diego: Wizards Bookshelf Secret Doctrine Reference Series, 1983), 58.

14. Robert Boissiere, *Meditations With the Hopi* (Santa Fé: Bear and Company, 1986), 113.

15. David W. Orme-Johnson, Charles N. Alexander, John L. Davies, Howard M. Chandler, Wallace E. Larimore, "International Peace Project in the Middle East", *The Journal of Conflict Resolution* 32, nº 4 (dezembro de 1988), 778.

16. Michael C. Dillbeck, Kenneth L. Cavanaugh, Thomas Glenn, David W. Orme-Johnson, Vicki Mittlefehldt, "Consciousness as a Field: The Transcendental Meditation and TM-Sidhi Program and Changes in Social Indicators", *The Journal of Mind and Behavior 8,* nº 1 (inverno de 1987), 67-104.

17. Orme-Johnson, *et al.*, "International Peace Project in the Middle East", 781.

18. *Ibid.*, 782.

19. "Maharishi Effect: Increased Orderliness, Decreased Urban Crime", *Scientific Research on the Maharishi Transcendental Meditation and TM-Sidhi Programs: A Brief Study of 500 Studies,* Maharishi University of Management Press (Fairfield, Conn.: 1996), 21.

20. Orme-Johnson, *et al.*, 782.

21. Burton L. Mack, *The Lost Gospel: The Book of Q and Christian Origins* (Nova York: Harper San Francisco, 1994), 87.

22. Szekely, *The Essene Gospel of Peace*, Livro II, 31.

Agradecimentos

Nossa vida neste mundo é uma jornada para servir, a nós e aos outros. Por vezes temos a sorte de receber a oportunidade de reconhecer o esforço de outrem. Este livro representa a capacidade cooperativa, os esforços concentrados e as visões compartilhadas por muitas pessoas talentosas. Embora seja impossível mencionar todas as pessoas cujo trabalho se reflete em *O efeito Isaías*, aproveito a oportunidade para expressar a minha profunda gratidão às seguintes:

Meu caro amigo John Sammo, embora tenhamos perdido a chance de compartilhar os nossos pensamentos, sinto que estivemos no mesmo caminho no mesmo momento. Sinto a sua falta neste mundo e senti a sua presença diversas vezes nos estádios finais deste livro. Obrigado pelo tempo que passamos juntos.

A muitas pessoas da Harmony Books, dos departamentos editorial, de arte e desenho, direitos autorais para o exterior, vendas e publicidade — especialmente Brian Belfiglio, Tina Constable, Alison Gross, Debbie Koenig, Kim Robles, Karin Schulze, Kristen Wolfe e Kieran O'Brien. Sua capacidade, perícia e boa vontade em cooperar produziram um trabalho do qual podemos nos orgulhar. Um agradecimento especial à minha editora, Patricia Gift, por ouvir, compreender, receber telefonemas fora de hora, oferecer conselhos mesmo tarde da noite, e ter paciência. Mais importante ainda, obrigado a todos vocês pela bênção de sua amizade.

Stephanie Gunning, sua perícia burilou o meu fluxo de palavras e ao mesmo tempo respeitou a integridade da mensagem durante as primeiras sessões de edição. Muito obrigado pela sua paciência, clareza e por estar aberta às possibilidades.

Ao meu agente Ned Leavitt que é tudo o que sempre imaginei de um excelente agente. Obrigado por sua orientação na jornada sagrada pelo mundo das publicações corporativas. Muitas bênçãos para você e pela sua capacidade de orientar as pessoas na realização de seus sonhos.

À minha editora, Arielle Ford, e sua equipe da Dharma Dreams. Foi a sua competência e dedicação que ajudou *O efeito Isaías* a atingir novos públicos, abrindo as portas para possibilidades de curas pessoais e uma paz planetária que no passado só podiam ser imaginadas.

Lauri Willmot, o anjo que mantém o nosso escritório em ordem, garantindo-me liberdade para me concentrar e estar disponível para todos os que participam dos nossos programas. Meus sinceros agradecimentos pelas longas horas de trabalho, fins de semana curtos e por estar sempre presente quando necessário. Robin e Jerry Miner, coordenadores dos seminários e pessoal de apoio, minha gratidão por confiar no processo, mesmo quando o caminho era difícil. Juntos encontramos novas formas de aliar a realidade dos negócios com a mensagem de cura pessoal e paz global. Para as famílias de vocês, meus agradecimentos por compartilhá-los comigo.

A todas as companhias de produção e eventos que nos convidaram, mesmo sem conhecer de antemão o nosso programa. Reconheço essas demonstrações de confiança e considero uma honra fazer parte de sua família. Entre elas, Patty Porter, da The Cornerstone Foundation; Debra Evans, Greg Roberts, Keilisi Freeman, Justin Hilton, Georgia Malki e toda a equipe da Whole Life Expo; Robert Maddox e a equipe do Kripalu Yoga Center; Charlotte McGinnis e o Palm Beach Center for Living; e todas as maravilhosas Igrejas Unitaristas que nos receberam; Suzanne Sullivan da Insight Seminars, por sua visão; Robin e Cody Johnson da Axiom, por sua excelência; Linda Rachel, Carolyn Craft e a dedicada equipe da The Wisdom Network; Laura Lee do *The Laura Lee Show*; Paul Roberts do The Radio Bookstore; Art Bell e Hilly Rose, da Art Bell Radio Programs; Tippy McKinsey e Patricia DiOrio do programa de televisão *Paradigm Shift*, e Howard e Gayle Mandell pela amizade e apoio da Transitions Bookstore.

Um agradecimento especial à equipe de produção, arte e vendas da Sounds True. Tami Simon, que com sua capacidade de liderar e inspirar a grande força nos outros, criou um raro padrão de excelência na integridade corporativa e de cuja associação me orgulho. Michael Taft — valorizo particularmente seu gênio criativo e boa vontade em reformar os estúdios da Sounds True para satisfazer às nossas necessidades. Liz Williams — sua orientação, honestidade e amizade foram uma grande bênção na nossa vida.

A todas as mentes brilhantes e corações calorosos e maravilhosos de nossa grande família da Conscious Wave, inclusive Greg Glazier, Ellen Feeney, Rebecca Stetson e Russell Wright, que tornaram uma alegria, bem como um sucesso, a nossa jornada de filmagem e produção. Lynn Powers e Jirka Rysavy — minha gratidão mais profunda pela sua paciência, flexibilidade, visão e crença na mensagem do meu trabalho. Jay Weidner – nossa amizade começou há quase dez anos, sob condições bem diferentes. Obrigado por lembrar do meu trabalho e reconhecer o poder da compaixão. Um obrigado especial a Rick Hassen pela atenção aos pormenores e pela sensibilidade com que respeitou o meu trabalho. Os dias da nossa filmagem, com uma equipe completa, nas montanhas no norte do Novo México, trazem à memória a dedicação, paciência e alegria que derivam de trabalhar para um objetivo no qual acreditamos. Vocês ocupam um lugar especial no meu coração.

Minha gratidão aos muitos cientistas, pesquisadores e autores cujo trabalho se tornou uma ponte entre a ciência, o espírito e a consciência. Entre eles, obrigado e o mais profundo respeito a Robert Tennyson Stevens por sua dedicação em "promover" a forma pela qual nos comunicamos por meio da ciência da linguagem consciente. Muitos deles conduziram estudos relativos a conceitos que, há apenas algumas décadas, eram rejeitados. Todas as suas descobertas nos lembram da nossa relação com o cosmo, com as pessoas e com o mundo à nossa volta. Sou grato à sua incansável procura de entendimento e assumo total responsabilidade pelo modo como apliquei os seus achados e extrapolei os resultados. Queiram aceitar minhas desculpas se, de alguma forma, interpretei mal, julguei erroneamente ou apresentei prematuramente trabalhos ainda não publicados. Minha intenção foi apenas a de fortalecer aqueles que amamos.

A todas as pessoas que viajaram conosco nos seminários, cursos, excursões, gravações, filmagens e produções, minha profunda gratidão. Vocês estão definindo novamente o trabalho, a família e a sociedade, e vocês estão entre as grandes bênçãos da minha vida.

A Vivian Glyck – de certo modo parece que a nossa associação começou há muito tempo, embora nossa convivência só agora esteja começando a dar frutos. Muito obrigado pela sua orientação, paciência, competência e a clareza que você trouxe para a nossa vida.

A Toby e Theresa Weiss, fundadores do Power Places Tours, sua vontade de criar novas aventuras e sua responsabilidade em cuidar tão bem de nós são considerados bênçãos na nossa vida. Vocês fizeram o possível para abrir alguns dos lugares mais sagrados do mundo para os olhos e corações de muitas pessoas que confiaram em nós para levá-los até lá. Considero a sua equipe de apoio a melhor do ramo, com um agradecimento especial a Mohamed Nazmy, Emil Shaker, Medhat Yehia, Maria Antoinette Nunez, Walter Saenz, Harry e Ruth Hover e Laurie Krantz, todos eles considerados como irmãos e amigos mais queridos.

A Gary Wintz — somos eternamente gratos à sua sabedoria e competência em nos guiar através da jornada mais desafiadora e gratificante da nossa vida: a peregrinação apela Ásia. Obrigado pelo seu amor pela terra bem como pelas pessoas, e por sua boa vontade em mostrar a magnificência do Tibete por intermédio de seu olhar. Você representa uma rara espécie de dedicação que é sempre inspiradora e uma força incrível na minha vida.

A James Twyman, Liz Story e Doreen Virtue — foi uma honra passar com vocês por muitos estádios, trazendo vida às nossas orações pela paz. Liz, um agradecimento especial por manter viva a memória de Michael e por me lembrar do "Unaccountable Effect". Doreen, obrigado pela sua capacidade de infundir confiança nos outros, lembrando-os de sua divindade, marca do verdadeiro professor. Jimmy, meu querido amigo e sócio na paz, minha gratidão e respeito pela sua inabalável confiança em Deus e profunda reverência por todo tipo de vida, uma qualidade de nossa amizade que valorizo. A cada um de vocês: sua coragem, convicção e visão de grandes possibilidades criou uma amizade que me parece maravilhosamente antiga.

A Tom Park e Park Productions — é com enorme gratidão que digo "obrigado" por acreditarem no meu trabalho e confiar no processo. Juntos demos conta da tarefa, oferecendo um novo padrão de apresentações num mundo no qual existem poucos modelos. Um agradecimento especial por compartilhar a sua família espiritual, aqueles com quem você estudou nos *ashrams* da Índia. O seu respeito à vida fez com que todos os dias que passamos longe de casa se transformassem em lares.

À minha mãe, Sylvia Braden — obrigado por acreditar em mim, mesmo quando não me compreendia. Durante uma vida de mudanças dramáticas e por vezes dolorosas, sua amizade permaneceu constante e seu amor, uma fonte imutável de energia.

À minha bela Melissa, obrigado por passar a vida comigo. Nas intermináveis horas de viagem, telefonemas constantes e chegadas fora de hora aos hotéis, você sempre esteve presente. Juntos viajamos a alguns dos lugares mais magníficos, remotos e místicos que ainda existem neste mundo. Meus agradecimentos mais profundos pelo seu apoio incansável, pela amizade constante e a pela força que você dá a cada um dos nossos dias.